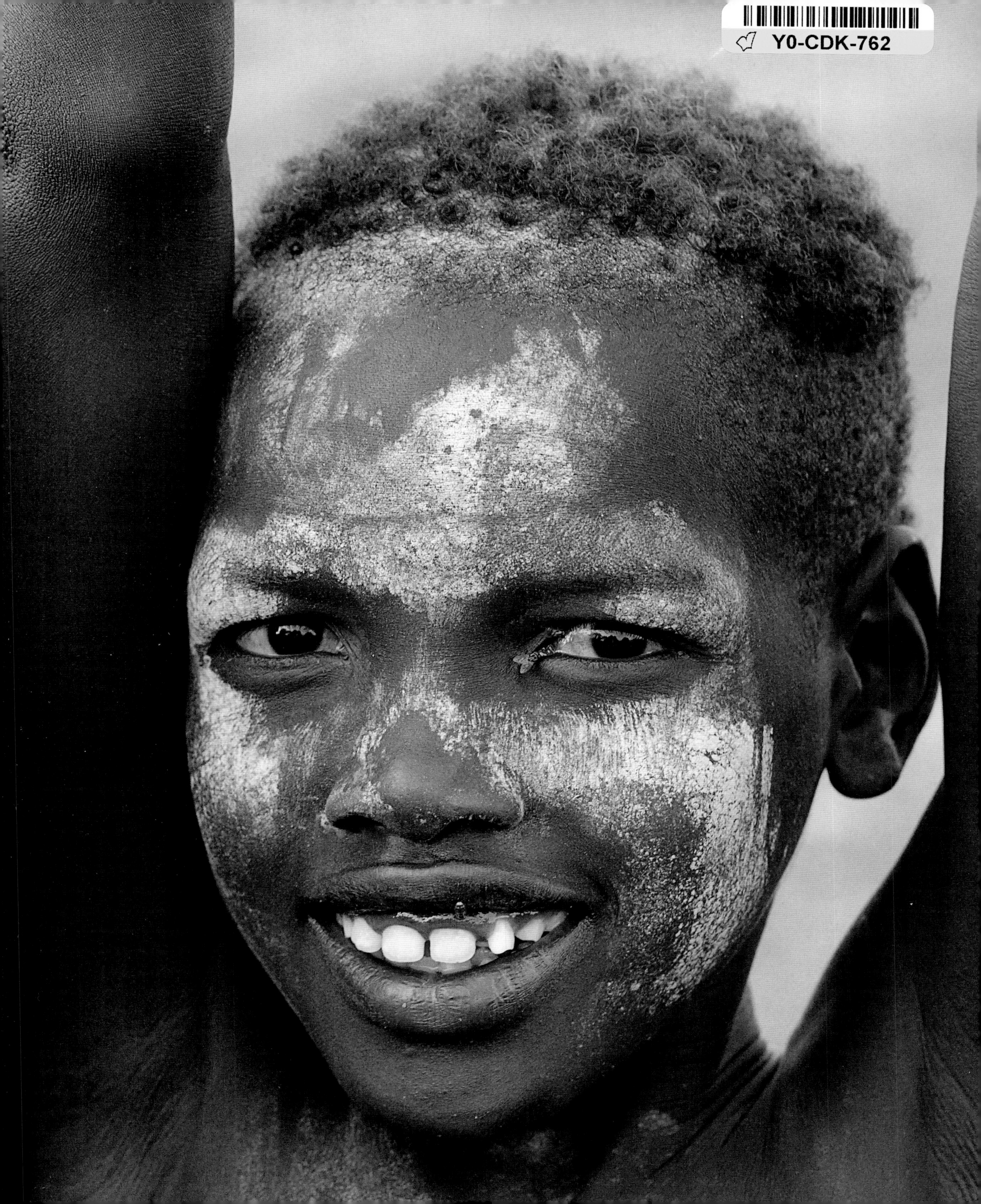

PEUPLES RACINES

A la rencontre des derniers Hommes Vrais

Patrick BERNARD
Ken UNG

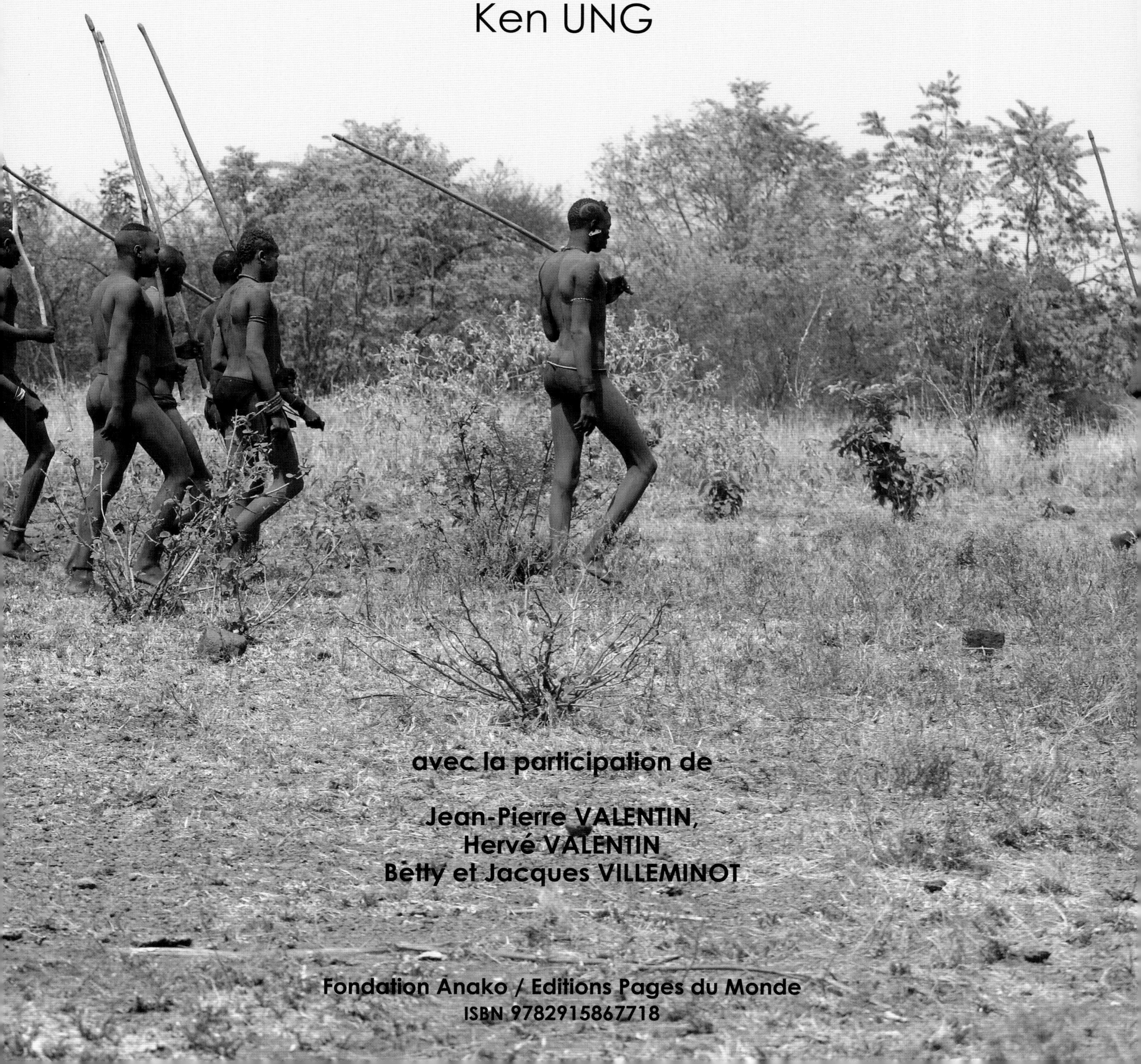

avec la participation de

Jean-Pierre VALENTIN,
Hervé VALENTIN
Betty et Jacques VILLEMINOT

Fondation Anako / Editions Pages du Monde
ISBN 9782915867718

AVANT-PROPOS
Chemins de traverse

Quarante ans ! Quarante ans déjà que je parcours notre planète bleue à la recherche d'un regard, d'un frisson, d'un sourire, d'une parcelle de connaissance, d'un début de réponse, d'un soupçon de sagesse, d'une différence à ajouter à l'édifice de ma mémoire voyageuse. Quarante ans d'engagements et de combats en quête d'un souffle de vie, d'une renaissance, d'un espoir à reconquérir pour les peuples les plus menacés. Quarante ans à courir le monde pour y dénicher quelques-uns de ces morceaux du miroir brisé dans lesquels peuvent encore se refléter de trop rares parcelles de la mémoire vivante de la famille humaine dans toute sa diversité. Quarante ans à témoigner à travers des films, des livres comme pour porter plus haut et plus loin la voix oubliée des derniers des peuples premiers et de ces civilisations sacrifiées sur l'autel du « développement », de la « civilisation », de la « mondialisation », des mots qui sonnent le glas des couleurs arc-en-ciel de l'humanité, des *maux* à jamais enchaînés au modèle occidental.

Si j'ai choisi de guider mes pas vers les derniers peuples racines, ceux que l'on dit si souvent primitifs alors qu'ils sont tout le contraire, vers ces sociétés de tradition orale si riches qu'aucun livre ne saura jamais les restituer à moins de leur laisser leur droit à la vie plutôt qu'à la survie, c'est parce qu'ils m'ont appris la valeur du symbole et du signe. Parce qu'ils m'ont fait toucher des yeux, du cœur et des sens l'immensité sans barrière de leurs univers sans cesse recréés à chacun de leurs regards. Parce qu'ils m'ont permis de frôler les délicates marges de l'infini, de l'intemporel comme de l'éphémère, le simple bonheur d'un sourire, d'une caresse, d'un geste, d'un regard ou d'une parole échangée.

Tout commença dans mes Vosges natales, alors que mes rêves de voyages et de rencontres naissaient dans le creux de cette vallée des lacs qui m'a vu naître et grandir. Dans ce massif rude aux hivers qui n'en finissent pas, où les sapins s'amusent à gratter le ciel, ou les lacs de montagne se nichent dans les recoins les plus improbables, où, les beaux jours revenus, les touristes se pressent pour respirer notre air revigorant.

Posée en lisière de forêt, sur un flanc de montagne à deux cents mètres du lac de Longemer, notre maison familiale – construite pierre après pierre par ce père fort et généreux que le destin nous enleva prématurément – était un véritable éden pour l'enfant que j'étais. J'avais hérité de mon père une passion sans limite pour la nature, la vie sauvage, les animaux et les plantes de nos forêts. D'ailleurs, nous étions toujours entourés de quelques animaux dont le destin avait croisé le mien ou celui de mon père.
Il a élevé un renard, des chiens. Il a soigné tant de bêtes blessées comme cette biche poursuivie par des chiens de chasse déchaînés et leurs maîtres – la virilité à deux coups mortels en bandoulière – qui est venue se jeter contre notre porte comme pour nous lancer un dernier « au secours ». Autour de mes douze ans, il y eut Cola, ce corbeau tombé du nid que j'avais ramassé et qui, devenu adulte, plongeait tous les jours des plus grands sapins pour, d'un coup d'ailes, venir passer quelques heures avec nous, à taquiner les portes du frigo, ou à chaparder tout ce qu'il pouvait trouver. Il y eut bien sûr Tommy mon premier chien qui m'avait été donné par une amie de ma mère, pas facile le bougre ! et puis des chats, des tortues, des couleuvres ou des lézards trouvés au gré de mes expéditions exploratoires des forêts, des tourbières, des bords de cette Vologne aux eaux si claires que j'aimais tant et qu'un pitoyable fait divers nous a sali à jamais, ou des petites zones marécageuses qui noyaient les berges les plus sauvages du lac de Longemer.

Régulièrement comme des apparitions éphémères, de longs convois de caravanes passaient devant la maison. Ils captaient déjà mon attention et j'avais envie d'en savoir plus sur la vie nomade, sur ces peuples différents qu'il était courant d'appeler « les autres ». Déjà, l'univers des nomades commençait à me faire des clins d'œil. C'étaient des Gitans, Roms ou Tziganes, tellement malaimés des sédentaires qu'ils ne pouvaient s'empêcher de leur rendre parfois la monnaie de leur pièce. Ces romanichels, comme on disait, venaient chaque année à peu près à la même époque se poser pour un temps sur le terrain qui leur était réservé au bout du lac, entre Longemer et Retournemer, une façon de leur dire : « Bienvenue ! mais n'oubliez pas de vous en retourner ! » Combien de fois ai-je sauté sur mon vélo pour les suivre et aller rôder autour de leur campement avec l'espoir d'y être invité. Ce qui ne tardait jamais.

1976 - un an déjà ! Il y eut ce premier grand voyage à l'été 1975 au pays des trois Voltas, l'actuel Burkina Faso, puis le drame, la mort accidentelle, brutale, d'un père, la vie qui bascule, et qui doit se rattraper coûte que coûte parce que je ne suis pas seul. Les chantiers, les échafaudages, le quotidien de la petite entreprise peinture dont il fallait s'occuper, et puis cet irrésistible besoin de voir repousser ses ailes à peine assez grandes pour le premier vol migratoire, de partir, de venir, de repartir, de revenir...

« J'ai connu un petit bonhomme qui allait de par le monde, loin des bruits de la ville et des foules. Il avait pour tout bagage l'amour des plantes, l'amour des bêtes, l'amour des petites choses. Son cœur était plein de saisons, de soleils, de nuits, de jours et parfois d'une seconde. Sa vie était pleine de fruits, d'arbres, de forêts, de lièvres, de moissons et de ruisseaux. Il taquinait le vent, il caressait le caillou, il endormait le criquet et se faisait patience auprès de ces petites souris et de ces petits mulots.

Ce petit être ne connaissait pas l'homme, il ne connaissait pas l'ennui, ni le mal, ni la gloire. Il ignorait l'argent, il ignorait le temps. Ce petit bonhomme vivait en moi depuis toujours. Il ne m'a jamais quitté. On ne renonce jamais à ses folles espérances d'enfant. On ne se sépare jamais, tout à fait et pour toujours de son petit poète de minuit, de son petit poète à soi, en fait de son véritable ami. »

Cette chanson du Québecois Claude Léveillée, résonne depuis toujours en moi comme tous les souvenirs de l'enfant que je n'ai jamais cessé d'être.

Il y eut ce livre, *Antecume ou Une autre vie*, ces documentaires tournés il y a quelques décennies par un type trop talentueux qui se donna la mort faute de n'avoir pu se faire comprendre par une télévision broyeuse de talents sincères comme on n'en trouve plus, Claude Massot. Il raconta le quotidien des Indiens wayana d'Amazonie guyanaise, avant de choisir le voyage ultime pour, sans doute, tout un tas de raisons parmi lesquelles la censure des films qui osaient trop parler des problèmes des Amérindiens. Ceux qui faisaient rêver et voyager ont été diffusés sans problème mais pas les autres, pas ceux qui osaient dénoncer l'inacceptable. Quel sens tout ce travail pouvait-il avoir si on en amputait l'essentiel et si l'on recouvrait la réalité montrée avec tant de sensibilité du voile de l'hypocrisie de cet Occident qui croit toujours tout savoir. Claude s'en est révolté. Il s'en est allé à jamais. Il avait filmé Moloko, le chaman, son fils Tom Pouce, Mimi Siku, l'inséparable ami d'Antecume, cet Indien blanc, ancien ouvrier métallo d'une banlieue de Lyon qui, depuis 1963, partage la vie de ce peuple amazonien. Je crois bien que dès les premières pages du livre, et lors de la découverte des films de Claude Massot et de quelques autres grands témoins de l'époque, les premiers pas étaient déjà faits, dans la tête certes, mais sans qu'à aucun moment, la tentation de faire demi-tour ne m'ait effleuré.

Des courriers, des recherches, des livres dévorés, sur l'Amazonie, les Amérindiens. Oui ce sera la Guyane, la Guyane française. Mais le territoire amérindien est interdit, que faire ? Rédiger un projet, écrire au député des Vosges, M. Poncelet à l'époque qui deviendra plus tard président du Sénat, au préfet de Guyane, des lettres comme autant de bouteilles jetées à la mer. Acheter des cartes de l'IGN, la Guyane, la forêt, ses fleuves légendaires à mes yeux parce que, en amont au plus près de leurs sources, vivent les derniers *hommes vrais*, les Wayana, les Wayampi, les Emerillons. Et puis un beau jour, la réponse de M. Poncelet : « Je viens d'écrire au préfet de Guyane pour lui demander de vous accorder un permis d'accès au territoire protégé qui se trouve en amont de la ligne Maripasoula Camopi. » Mon rêve amazonien prenait forme. Il s'agissait maintenant de le faire accepter par ma mère encore sous le coup du drame que nous venions de vivre et qui pourtant accompagnerait chacun de mes pas. Je devais m'organiser avec Xavier et Dédé, mes cousin et oncle, mais aussi ouvriers de la petite entreprise artisanale de mon père parti trop vite, pour qu'ils puissent assumer les chantiers en autonomie pendant mon absence ; trouver l'argent du billet d'avion et un peu plus pour les pirogues, la survie sur place, mais j'y croyais. Les premières démarches commençaient à porter leurs fruits, j'allais partir à la rencontre des derniers peuples sages de l'Amazonie dans un petit coin de terre où l'on parle français et créole, la Guyane.

Ce fut une expérience inoubliable. Je rencontrai Malavate et son épouse Pontshipeu qui m'adoptèrent comme un fils, André Cognat, dit Antecume. Je découvris les rituels initiatiques du *maraké* couronnés par la grande épreuve, lors de laquelle le jeune initié doit subir sans la moindre plainte les piqûres de centaines de guêpes et de fourmis carnivores prisonnières d'une large vannerie appelé *maraké*.

Je tombai alors amoureux de ces peuples sages des derniers espaces vierges de notre planète, et en même temps le besoin de m'engager aux côtés de ces tribus que je savais déjà en sursis m'étreignait au point de devenir la vocation d'une vie.

Les grandes expéditions se sont ensuite enchaînées et les décennies ont passé comme plume au vent qui traverserait le champ d'une rêverie, d'un songe, d'un regard. Ce sera encore l'Amazonie, mais cette fois pendant plus d'un an en Bolivie, au Pérou, au Brésil, la rencontre d'Anako qui me marqua à jamais, une année à partager les transhumances des éleveurs nomades du Haut-Nil au Sud-Soudan, six mois dans les hautes vallées de l'Irian Jaya au pays des Papous, trois autres avec les hommes-fleurs de l'île de Siberut au large de Sumatra, le Triangle d'or entre Thaïlande et Birmanie, l'Inde tribale, les monts interdits du Nagaland, les minorités du Sud de la Chine, le Viêtnam, les tribus du Nord, celles des hauts plateaux, la rencontre de Françoise Demeure, un merveilleux petit bout de femme, rayonnante et énergique, dont les amis de tous âges et styles ne se comptent plus. Françoise que, dans sa congrégation, on appelle Mère Colomban. Une sœur bénédictine tellement différente qui eut ces mots si forts : « Je suis venue dans les hauts plateaux pour parler, évangéliser, convertir, et je me suis aperçue après des années que j'avais oublié d'écouter avant de parler moi-même ! » Françoise qui découvrit la riche culture montagnarde, sa spiritualité et qui n'eut de cesse pendant toute sa vie d'aider le peuple dont elle a partagé le destin à garder vivantes sa langue, sa tradition orale et sa riche culture ancestrale.

Puis ce fut le Cambodge, le Laos, la Thaïlande, les voyages se succédaient pour aller rencontrer et soutenir avec l'association que nous avions fondée en 1988, ICRA International, les ethnies montagnardes exilées de Birmanie, cette rencontre si émouvante avec les deux cents derniers chasseurs-cueilleurs des forêts du Nord de la Thaïlande, les Mlabri et mes nombreux retours sur place pour les retrouver.

Dans les années 1990, je vécus une expérience que je n'aurai jamais imaginée, même dans mes rêves les plus fous. La rencontre autant furtive qu'inespérée avec les Jarawa dans l'archipel des Andaman qui refusaient encore tout contact avec le monde extérieur. Je n'ai pas souhaité aller plus loin à l'époque car je ne voulais pas accélérer un processus dit de « pacification » engagé par les autorités indiennes et dont je savais pertinemment qu'il aboutirait un jour à la mort de ce petit peuple de chasseurs-cueilleurs. Je fis aussi un retour marquant en Amazonie chez les farouches Huaorani d'Equateur, puis retournai en Asie, en Afrique à la rencontre des

Zoulous, des Ndébélé et des Bushmen d'Afrique du Sud, des ethnies pastorales nomades du Grand Rift au Kenya, en Tanzanie, les Massaï, les Turkana, les Samburu, les Mangati, les Bushmen hadzabé.

Le début des années 2000 fut marqué par des retrouvailles inoubliables avec les Jarawa des Andaman, dix ans après ma première escapade clandestine sur les côtes sauvages de l'archipel, quelques mois seulement après que les Jarawa avaient posé les arcs et les flèches et accepté un premier contact avec les colons indiens de l'archipel, un premier contact qui allait sonner leur glas.

Puis des voyages, encore des voyages, des découvertes, des retours vers ceux qui étaient devenus mes amis, la frontière birmane, les hautes vallées andines de Bolivie aux côtés de mes amis musiciens de Kala Marka, proches du premier président amérindien Evo Moralès, le Nagaland avec mon frère naga, Visier Sanyu. Visier avec qui nous avions, dans les années 1980, jeté les bases d'ICRA International et plus tard, en 1993, du Fonds mondial pour la sauvegarde des cultures autochtones. Ce fut ensuite les vallées himalayennes du Népal et de l'Arunachal Pradesh, les aborigènes du centre rouge australien, les Yawalapiti de l'Amazonie brésilienne qui ont appris avec ICRA et l'association Jabiru le langage audiovisuel pour se réapproprier leur image, leur parole et leur mémoire, les peuples de la vallée de l'Omo aux confins de l'Ethiopie, du Kenya et du Soudan, trente ans après ma première expédition, et tant d'autres rencontres et retrouvailles...

Il y eut bien sûr la Commission internationale pour les droits des peuples autochtones fondée en 1988, les éditions et les productions Anako, les cinéconférences aux tribunes de Grands reportages, Visage et Réalité du monde, Connaissance du monde en France, Exploration du monde en Belgique et en Suisse ou des Grands Explorateurs au Canada. En 2008, ce fut la péniche *Anako* qui, à Paris, sur le bassin de la Villette, se posa comme une passerelle entre les cultures. Et puis tous ces proches, ces amis qui ont croisé mes chemins de traverse et qui sont repartis un jour dans les limbes de l'éternité : Marie-Luce, Alain Saint-Hilaire, l'ami des peuples des glaces et des déserts, que la maladie de Charcot emporta un jour de l'hiver 2013, Marc Bruwier appelé aussi le Corsaire de l'Amazonie, Marcel Isy-Schwart, Richard Chapelle, et tant d'autres dont les témoignages et les travaux sont autant de pierres si précieuses à l'édifice de la mémoire collective.
Mais que seraient ces chemins de traverse sans les belles rencontres qui les ont jalonnés, sans mes équipiers et sans les bénévoles d'ICRA, d'Akassa, du Fonds mondial pour la sauvegarde des cultures autochtones : Vincent de Paul, Thierry, Pierre, Philippe, Nina, Michel, Loïc, Jean-Luc, Christophe, Hien, Quoc Uy, Kevin, Hugo, Rodolfo, Iwan, Françoise, Dech, Margo, Batpurev, Gisèle, Bodo, Chacha, Hervé, Jean-Pierre, Tahnee, Anouk et bien sûr Ken qui se consacre aujourd'hui à ce travail sur le terrain comme en France pour réaliser, monter, adapter, mettre en images ces livres et films qui n'ont d'autre dessein que de faire connaître pour mieux comprendre et de faire savoir pour que jamais l'indifférence ne puisse trouver à se justifier, et surtout parce que savoir et ne rien faire, c'est cautionner.

Il est temps pour moi d'écrire des mots qui réveillent les mémoires, de mettre en place cette fondation qui me tient tant à cœur pour que les traces de vie des peuples sans voix ne s'effacent pas aussi vite. Après *Les Oubliés du temps*, *Les Voix de l'oubli*, *Tribus en sursis*, *Peuples racines*, le quatrième tome de cette série, vient compléter la découverte de ces ethnies toutes plus menacées les unes que les autres qui, au cours de quatre décennies, m'ont accueilli pour un bout de chemin, aux côtés desquelles nous nous sommes battus, avec lesquelles nous avons partagé frissons, pleurs, émotions et rires qui résonnent encore aux confins des montagnes de l'Orient extrême, des forêts amazoniennes ou des savanes brûlées de l'Afrique profonde.

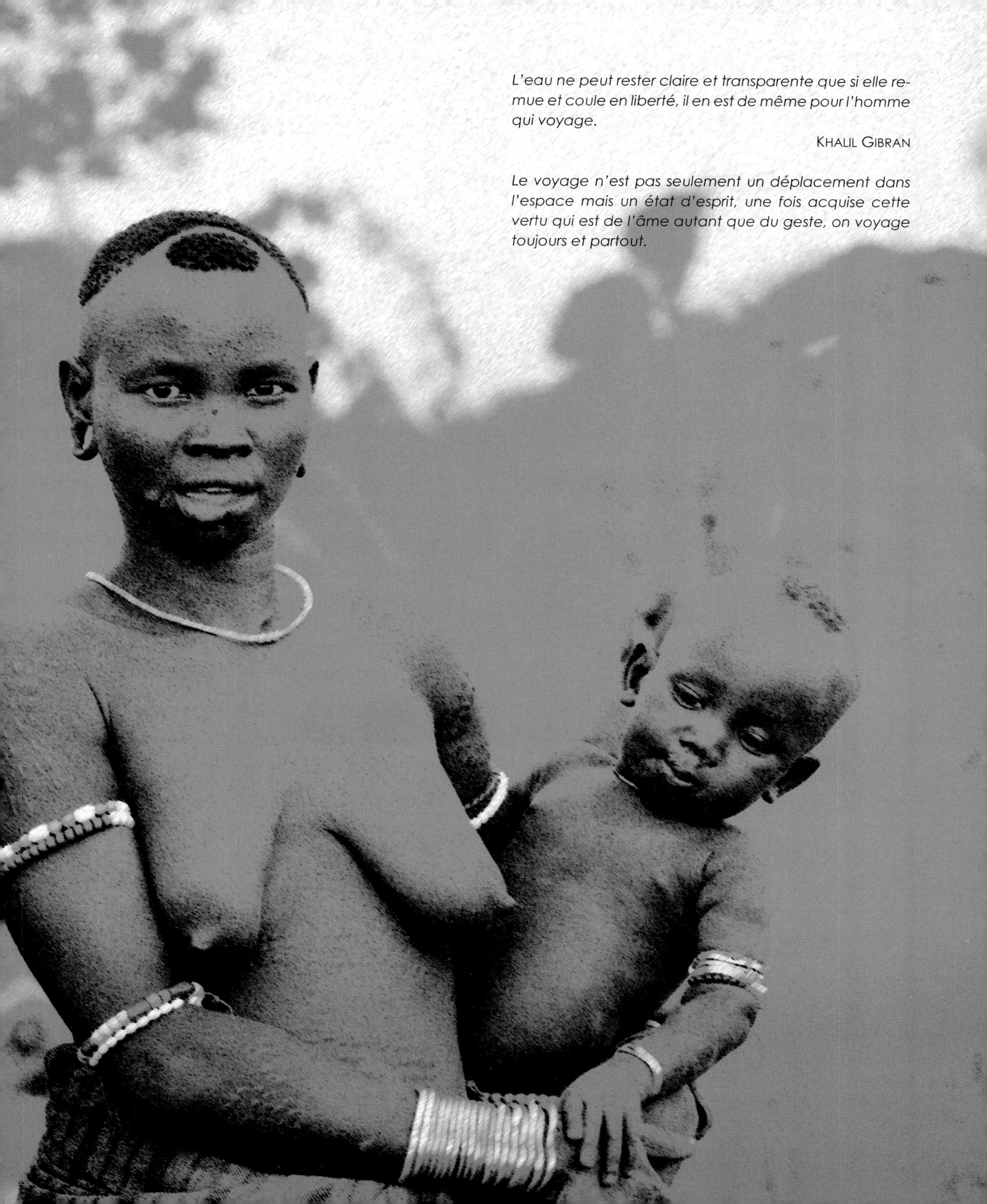

L'eau ne peut rester claire et transparente que si elle remue et coule en liberté, il en est de même pour l'homme qui voyage.

Khalil Gibran

Le voyage n'est pas seulement un déplacement dans l'espace mais un état d'esprit, une fois acquise cette vertu qui est de l'âme autant que du geste, on voyage toujours et partout.

PEUPLES RACINES
Qui sont-ils ?

Les ethnies minoritaires, qualifiées par l'ONU de *populations autochtones* même si le terme est un peu trop large pour définir les peuples dont les cultures – mais aussi parfois l'existence – sont les plus menacées représentent environ 4 % de la population mondiale. Ces peuples se qualifient eux-mêmes, principalement dans les Amériques, de *premières nations*.
Elles sont constituées généralement par les descendants des peuples premiers, c'est-à-dire les habitants les plus anciens de ces régions du monde que les nations européennes ont décidé d'aller conquérir et coloniser dans les cinq derniers siècles. Beaucoup de ces pays ont depuis lors obtenu leur indépendance.
Paradoxalement, celle-ci n'a pas été gagnée par les autochtones mais par les descendants des colons. C'est le cas notamment des pays d'Amérique du Nord, d'Amérique centrale et d'Amérique du Sud, de l'Afrique du Sud jusqu'à sa récente libération avec la fin du régime de l'apartheid dans les années 1990, de l'Australie et de nombreux autres.

Les peuples menacés peuvent être aussi des ethnies minoritaires qui, par leur faible importance en population, se trouvent aujourd'hui marginalisées face à des Etats-nations plus ou moins puissants.

Depuis l'émergence de l'homme dit contemporain il y a quelques milliers d'années, quatre grands modes de vie ont pu perdurer jusqu'à nos jours au sein des sociétés traditionnelles : les chasseurs-cueilleurs, les éleveurs nomades, et enfin les agriculteurs itinérants puis sédentaires.

Les chasseurs-cueilleurs

Le mode de vie le plus ancien, le plus proche de la nature, celui de chasseur-cueilleur nomade, est encore celui de quelques très rares groupes humains qui survivent difficilement dans les régions les plus isolées et les plus préservées de la planète. Ils ne sont plus aujourd'hui que des peuples en sursis qui vivent en cette deuxième décennie du troisième millénaire leur ultime souffle. Ils vivent de chasse et de cueillette, se déplaçant constamment. Ils prélèvent les ressources, le gibier, les tubercules, les fruits sauvages, sans jamais les épuiser. Ils ne restent que quelques jours au même endroit permettant ainsi à la nature de se régénérer très vite après leur passage. Jamais ils ne cherchent à la dompter, ils font partie d'elle, comme les animaux, les arbres, les rivières ou les rochers. C'est sans aucun doute là le mode de vie le plus respectueux qui soit de l'homme vis-à-vis de lui-même et de l'environnement dans lequel il s'inscrit, humblement sans jamais chercher à influer sur le cours naturel des choses.

Les Bushmen hadzabé de Tanzanie, les Bushmen san du Kalahari, les Pygmées bambuti des forêts d'Afrique centrale, les Mlabri du Laos et de Thaïlande, les derniers groupes de chasseurs-cueilleurs isolés de la forêt amazonienne ou les Jarawa des îles Andaman sont parmi les derniers témoins de ce mode de vie, dont le vent à lui seul suffit à effacer les traces.

Les Jarawa de l'archipel des Andaman habitent ces îles sauvages au large des côtes de la Malaisie et de la Thaïlande depuis l'aube des temps. Pendant la saison des pluies, les Jarawa se déplacent à l'intérieur de l'île. Une fois la saison sèche arrivée, ils se rapprochent des côtes où ils peuvent pêcher à l'arc et récolter coquillages et mollusques. Chez les Jarawa, pas de hiérarchie, pas de chef, les familles vivent les unes à côté des autres, l'enfant est roi. Il règne dans cette petite tribu un climat de simplicité naturelle, de fraîcheur, de joie de vivre et d'innocence. Un équilibre rare aussi précieux que fragile.

Bénéficiant sans le savoir de l'isolement de l'archipel, et de son statut de zone militaire indienne, les Jarawa sont longtemps restés hostiles, fléchant les intrus qui tentaient de pénétrer leur jungle protectrice, ou maintenant à distance les embarcations qui cherchaient à trop s'approcher. Depuis le début des années 2000, les Jarawa se sont peu à peu soumis aux pressions des colons indiens. Ils ont fini par accepter le contact, signant ainsi leur comdamnation. Colons et touristes se pressent aujourd'hui aux portes de leur territoire désormais déchiré par une route qui le fend de part en part pendant que les grands projets dits « de développement » sont déjà en phase de concrétisation dans cet archipel si longtemps oublié de la folie des hommes.

Quant aux Mlabri de Thaïlande, ils sont si discrets qu'on les appelle les esprits des feuilles jaunes. Les derniers survivants du peuple premier de Thaïlande ne sont plus aujourd'hui que deux cents à trois cents à peine dont la plupart ont été sédentarisés par les autorités locales et par la secte évangélique américaine des New Tribes Missions.

Les rares communautés de chasseurs-cueilleurs dont nous sommes encore pour très peu de temps les contemporains sont les derniers représentants d'un mode de vie qui fut

commun à l'ensemble des hommes pendant 90 % de leur existence. Leur destin est irrémédiablement lié au destin de leur environnement si fragile, des forêts et des jungles à la merci de toutes les convoitises.

Les éleveurs nomades

Après la chasse et la cueillette, l'homme a commencé à se livrer à l'élevage. On retrouve ces sociétés pastorales dans la vallée du Rift berceau de l'humanité, en Afrique de l'Est, en Ethiopie, au Kenya, en Tanzanie, mais également dans les steppes d'Asie centrale ou les taïgas du Grand Nord sibérien...

Ces nomades élèvent des bovins, des dromadaires, des rennes ou des ovins. Ils se déplacent constamment selon les saisons, au gré des pâturages et des ressources en eau principalement. Ils nomadisent aujourd'hui dans les steppes et les taïgas de Mongolie (Mongols, Kirghiz, Tsaatan) ou de Sibérie (Nenets), dans les hautes vallées himalayennes du Tibet et du Népal (Drogpa), dans les déserts arides d'Afrique de l'Ouest (Touaregs, Peuls), dans les savanes d'Afrique de l'Est (Massaï, Mangati, Turkana, Hamer ou Mursi).

Dans les contrées arides du Rift, la terre est trop sèche pour être cultivée, les zones désertiques ou semi-désertiques progressent toujours plus vers le sud autrefois verdoyant.
La vie de ces pasteurs dépend entièrement de leur troupeau. Ils ne tuent pratiquement jamais leurs bêtes, c'est d'ailleurs ce qui leur permet de survivre aux sécheresses ou aux grandes famines. Ils se nourrissent de lait et de ses dérivés. Le sang chaud délicatement prélevé à la veine jugulaire fournit un apport en protéines.

Parmi ces peuples, certains ont développé un système d'échanges. C'est le cas des Touaregs d'Afrique de l'Ouest de la zone saharienne qui organisent les grandes caravanes du sel par exemple, pour faire du commerce avec les populations voisines qui vivent aux marges de la région saharienne.

Même si désormais les Peuls, les Toubou ou les Touaregs sont de plus en plus nombreux à se voir contraints à abandonner leur vie nomade, on peut encore apercevoir de nos jours des caravanes hauturières traverser le désert, transportant sel et produits céréaliers.

Les agriculteurs semi-nomades

Indépendamment de ces peuples de chasseurs-cueilleurs ou d'éleveurs nomades qui sont probablement les plus menacés, il y a les peuples d'agriculteurs semi-nomades qui pratiquent une forme d'agriculture itinérante sur abattis. On en trouve aujourd'hui encore quelques-uns dans les grandes forêts équatoriales, notamment en Amazonie, dans certaines îles de l'archipel indonésien, en Nouvelle-Guinée ou à Bornéo.
On défriche une parcelle de forêt en y mettant le feu puis on la cultive en jachère. Lorsque le sol commence à s'épuiser, la tribu se déplace.

Les structures sociales sont un peu plus complexes que chez les chasseurs-cueilleurs. Par exemple, s'il n'y a pas de chef à proprement parler, le chaman, celui qui communique avec les esprits, tient un rôle essentiel dans la communauté. Le lien à la terre mère et aux grands éléments est fondamental pour les peuples amérindiens. Les esprits de la terre, de l'eau ou de la rivière mais aussi des animaux totémiques sont parmi les plus respectés des hommes de la forêt...

Les Mentawai, que l'on appelle aussi parfois les hommes-fleurs, mènent cette vie semi-nomade d'agriculteurs itinérants. Tous les matins, au lever du jour, ils ont pour habitude de se parer de feuilles et de fleurs sauvages. Ils tiennent à ce que leur corps soit toujours beau pour que leur âme s'y sente bien et ne soit pas tentée d'aller voir ailleurs. L'âme des vivants est liée à l'esprit majeur symbolisé par l'animal totémique, le renard volant. Chaque Mentawai devra une fois devenu adulte avoir le corps entier tatoué à l'image de cet animal totémique. Les séances de tatouages qui se succèdent de la préadolescence jusqu'à l'âge adulte tiennent lieu de rites iniatiques et marquent le passage d'une classe d'âge à l'autre.

Ici, la relation avec le monde des esprits est constante. Il convient de pactiser avec ces univers invisibles. Régulièrement, les chamans, chassent les esprits maléfiques qui pourraient hanter la maison et en empêcher l'accès aux esprits bénéfiques.

Les peuples sédentaires

Actuellement, les peuples d'agriculteurs sédentaires sont sans doute les plus nombreux. Ils ont élaboré au fil des siècles un système hiérarchique proche de celui des sociétés modernes, notamment des royautés, des empires voire certaines formes de pouvoir décisionnel pouvant s'apparenter à nos républiques. On peut prendre pour exemple les Zoulous qui ont fait trembler l'armée coloniale britannique et les Boers.
Ces peuples ont développé une forte notion de la propriété territoriale.

D'autres, comme les Hmong en Asie du Sud-Est, sont les héritiers de royaumes puissants. Ils ont su préserver leurs particularités identitaires et culturelles. Originaires des hautes steppes du Tibet et de Mongolie, les Hmong représentent une multitude de tribus qui se répartissent aujourd'hui en Chine, au Laos, au Viêtnam et en Thaïlande. Ils ont mis au point des techniques agricoles extrêmement élaborées, notamment la riziculture à laquelle ils associent souvent un peu d'élevage. Ici les rizières en terrasses sculptent et cisèlent le relief, œuvres d'art issues des talents conjugués de l'homme et de la nature, ces deux artistes unis et contraires.

Pour les peuples premiers, la terre, l'air et l'eau ne peuvent en aucun cas appartenir à qui que ce soit. C'est seulement

lorsque ces anciennes sociétés nomades ont commencé à se sédentariser et qu'elles ont adopté peu à peu l'agriculture que la notion de propriété s'est imposée. Et comme il fallait défendre son territoire, les sociétés guerrières sont apparues. Celles-ci ne tardèrent pas à vouloir conquérir d'autres terres afin d'étendre leur domination.

Les notions de pouvoir et de conquête allaient dès lors être irrémédiablement associées à la notion de propriété.

L'élevage et l'agriculture avec le passage de la vie nomade à la vie sédentaire ont permis récemment, c'est-à-dire il y a seulement quelques milliers d'années, ce qui est infime dans l'histoire de l'humanité, l'émergence des sociétés dites modernes.

Enfant des forêts et des lacs, il rêve de voyages et de rencontres : cœur dilaté, esprit ouvert, feu intérieur. Immergé dans la nature, il cultive la solitude, terreau de l'imagination fertile. Une imagination insolente, téméraire qui permet de flirter avec l'infini, d'inventer des fruits extravagants, d'ouvrir le chemin des possibles, de se connaître en allant au-delà du quotidien normalisé. Ainsi, son âme baladeuse l'emporte dans des rêves éveillés dont elle se nourrit. Voyages immobiles, périples imperceptibles, vertiges invisibles, ravissements enchantés. Désir passionné de voir, de savoir. Soupirs impatients de départs. Quête de l'ailleurs, de l'Autre, du pluriel.

L'enfant réinvente le monde, et bouscule, sans le savoir, l'espace et le temps : le temps devient espace à explorer : il ne sait pas encore que, pour des peuples lointains, existe une vision spatiale du temps ; il entend hier, aujourd'hui, demain ; il découvrira derrière, là, plus loin. Il bouscule aussi les frontières du rêve et du réel : il ne sait pas encore que le rêve l'enracinera dans le réel, enchanteur arc-en-ciel, ou prédateur cruel. Racines nomades puisque planétaires : il ne sait pas encore qu'il grandira partout, sera chez lui partout, trouvera des familles partout.

Enfant des forêts et des lacs, rêve, abandonne-toi au rêve, poursuis ton rêve, caresse ton rêve, vis-le : c'est ton inaliénable liberté !

GISÈLE BEETZ

Les grandes passions se préparent en de grandes rêveries.
BACHELARD, *La Poétique de la rêverie.*

LE PEUPLE DE L'AMAZONE

Des premiers contacts au renouveau

Le Brésil, la Bolivie, le Pérou, l'Equateur, la Colombie et le Venezuela se partagent l'essentiel de la forêt amazonienne qui s'étend de part et d'autre du fleuve Amazone. Le bassin de l'Amazone abrite non seulement le poumon de la planète avec le plus grand bassin fluvial et la plus grande forêt du monde, il recèle également une faune et une flore d'une extraordinaire diversité. Une myriade d'ethnies et de tribus y vivent aujourd'hui. Chacune parle une langue différente.

Si la plupart de ces ethnies ont subi de plein fouet le choc des civilisations dès leurs premiers contacts avec les colons et leurs missionnaires, certaines sont parvenues à préserver jusqu'à nos jours une partie de leurs rituels, de leurs traditions et la spiritualité qui leur a été enseignée au fil des générations par leurs aînés. Les plus préservées d'entre elles ne sont entrées en contact avec le monde du dehors, ses influences et sa déferlante technologique que dans les dernières décennies du XXe siècle.

Parmi les peuples autochtones qui habitent le vaste bassin de l'Amazone, on trouve les Yawalapiti, les Kayapo, les Huaorani, les Tapirapé, les Wayana et beaucoup d'autres... Ces peuples ont su s'adapter avec des fortunes diverses pendant que d'autres s'éteignaient à jamais. Les plus méfiants vis-à-vis du monde du dehors continuent à jouer à cache-cache dans les profondeurs de la forêt. On estime aujourd'hui qu'une soixantaine de petits groupes de quelques personnes à quelques dizaines d'individus vivent réfugiées dans les dernières zones restées vierges de l'Amazonie.

Faiseurs de premiers contacts, les sertanistes

Le maréchal Rondon, créateur, au début du XXe siècle, du Service de protection des Indiens, fut à l'initiative de mesures de protection des territoires indigènes qui ont pu échapper jusqu'à nos jours à la colonisation. Plusieurs sertanistes lui succédèrent. Ils avaient la tâche délicate de pacifier les tribus hostiles et d'ouvrir la voie à la colonisation des terres et des forêts du bassin de l'Amazone et de ses affluents. Les frères

Villas Boas et Francisco Mereilles comptent parmi les plus célèbres.

Ce sont par des approches progressives, des échanges de présents, que la plupart de ces pacificateurs d'Indiens, des explorateurs et des missionnaires arrivèrent à séduire les Indiens qui vivaient dans une relative tranquillité depuis le départ des jésuites au milieu du XIXe siècle. En 1943, le gouvernement brésilien charge les frères Villas Boas de contacter les tribus amérindiennes isolées de la région centrale du Haut-Xingu. Ils obtiennent en 1961 la création du parc indigène du Xingu qui abrite aujourd'hui une quinzaine d'ethnies amérindiennes.

Un peu plus tard, en 1969, Francisco Mereilles contactait pour la première fois la tribu des Cintas Largas dont l'hostilité devenue légendaire interdisait toute progression du front de colonisation. Il a raconté ainsi sa rencontre avec les Cintas Largas de l'Etat du Rondônia dans les années 1970 : « Nous avons ouvert un sentier au bout duquel nous avons construit une hutte ou *tapiri* dans laquelle nous avons placé des cadeaux. Les Cintas Largas ont vite compris et y ont à leur tour placé des cadeaux pour nous. C'est par ces échanges qu'a commencé la phase que nous appelons *namourou*, c'est-à-dire la séduction. Au bout de dix mois, un matin, ils étaient là, de l'autre côté de la rivière face à notre campement. Et puis un jour, ils ont accepté de me suivre dans notre campement. Oui Rondon a sauvé des tribus de la forêt, mais nous qui sommes ses disciples nous nous demandons si lui-même n'a pas été dupe. Il a terminé sa longue et belle vie en 1958 sans se rendre compte que toute son œuvre en faveur des Indiens s'était en fait retournée contre eux ! Toutes les pacifications sans exception sont désastreuses pour les Indiens. A quoi bon pacifier les Indiens si c'est pour les jeter dans une société profondément injuste dans ses fondements ? Nous pacifions une région et cette région est aussitôt envahie, les Indiens marginalisés et expulsés de leur terre. Tel est le sort de la pacification que j'entreprends aujourd'hui et qui s'achemine elle aussi vers le désastre. »

Pauvre et superbe Rondon ! Il a démontré qu'il était aisé pour les Blancs de séduire les Indiens avec des cadeaux et de bonnes paroles. Il était, comme Francisco Mereilles, comme les Villas Boas, sincère, tout à fait sincère. Ces pacifications eurent pourtant des conséquences terribles, car une fois les

Indiens amadoués par un homme généreux, ils se retrouvaient ensuite sans défense face aux aventuriers, aux prospecteurs, aux colons, aux missionnaires qui se pressaient autour d'eux. Les frères Villas Boas ont quant à eux réussi un tour de force, faire démarquer les terres autochtones du Haut-Xingu, évitant ainsi les déportations forcées qui se soldaient le plus souvent par de véritables ethnocides.

Malgré la mise en place de quelques mesures de protection des groupes les plus récemment contactés, les sertanistes comme Francisco Mereilles ou les frères Villas Boas se voient rapidement emboîter le pas par toutes sortes de gens. Tous ont quelque intérêt à entrer en contact avec les tribus amérindiennes, soit pour les évangéliser, soit pour avoir accès à l'exploitation de leurs territoires. La population autochtone est décimée par les violences à répétition autant que par la propagation d'épidémies et de maladies nouvelles. La tâche du Service de protection des Indiens devient de plus en plus difficile. Elle est entravée par la corruption, les pressions continuelles des acteurs économiques pressés de soutirer à l'Amazonie ses richesses et ses ressources, minières, forestières ou agricoles. En 1964, la dictature militaire au pouvoir alors au Brésil décide de coloniser et d'exploiter les immenses étendues vierges du bassin de l'Amazone. De grandes routes de terre et de poussière, les axes transamazoniens, sont réalisées. Transperçant la forêt de toutes parts, elles encouragent et facilitent l'arrivée de dizaines de milliers de colons en quête d'un eldorado. Des marées humaines et des armadas de machines dévorent la forêt sans se soucier des effets dévastateurs sur l'environnement. L'Amazonie devient le Far West de l'Amérique du Sud. Les affrontements avec les populations autochtones sont fréquents et toujours plus violents.

La Funai, organisme dépendant du ministère brésilien de l'Intérieur, remplaçe le service de protection des Indiens. Elle se trouve rapidement confrontée à une contradiction de taille : concilier la protection des peuples autochtones et de leurs milieux avec les intérêts nationaux à travers la colonisation et l'exploitation des richesses du bassin de l'amazone.

Un univers basé sur l'eau et la forêt

Si les Indiens sont vulnérables face aux atteintes subies par le bassin de l'Amazone et les rivières qui le parcourent, c'est que tout leur univers est basé sur l'eau et la forêt. Demeures des esprits majeurs ou familiers, des esprits du vent et de l'eau, lieu de repos des ancêtres, ce sont les fondements des cultures amazoniennes.

Les tribus amazoniennes participent presque toutes à un même genre de vie commun aux peuples des forêts. Elles ont de tout temps vécu en étroite symbiose avec la forêt. Elles en connaissent tous les secrets, les plantes qui guérissent, mais également celles qui tuent. L'épaisse jungle abrite aussi le monde invisible des esprits, esprits des personnes décédées, esprits du ciel, de la forêt, des rivières ou des animaux totémiques liés à chaque membre de la tribu.

Chaque village est à lui seul un petit Etat. Il se compose généralement de plusieurs familles qui habitent dans des cases isolées ou sont réunies dans une maison commune. L'épaisse jungle ne favorise pas de fortes concentrations d'individus mais plutôt l'éparpillement de petites cellules tribales ou claniques. L'activité quotidienne est marquée par la division du travail entre les deux sexes. Les femmes s'occupent des enfants, des corvées d'eau, des repas, des plantations, des récoltes et de bien d'autres tâches. C'est aux hommes qu'incombent le défrichage et la préparation des abattis, mais la pêche et surtout la chasse restent leurs activités favorites. Chaque individu adhère à des lois acceptées par la collectivité et n'a pas besoin d'autorité pour les faire respecter. Il peut exister un chef ou un cacique au pouvoir limité, un pouvoir moral dont il ne peut abuser. Certains chamans détiennent

une influence sur le groupe mais elle reste là aussi limitée à leurs domaines : la relation à l'univers invisible des esprits et la médecine traditionnelle.

La plupart des ethnies amazoniennes possèdent de petites plantations de manioc, de tubercules, de bananes qui ne sont jamais très éloignées des villages. Cette forme d'agriculture itinérante sur abattis est adaptée à la vie au cœur de la forêt. Le manioc est à la base d'une alimentation complétée par les produits de la cueillette ou de la chasse, fruits sauvages, larves et bien sûr le gibier rapporté par les chasseurs. Ils chassent toutes sortes d'animaux, singes, tapirs, oiseaux, à l'exception d'un seul, l'animal totémique de la tribu, le jaguar.

Huaorani, le peuple du jaguar

S'appelant eux-mêmes le peuple du jaguar, les Huaorani ont entretenu une tradition guerrière qui les a de tout temps fait redouter par ceux qui voulaient s'aventurer sur leur territoire. Il leur arrive aujourd'hui encore d'organiser des expéditions de guerre sur d'autres tribus ou sur des colons pour venger un crime ou une offense subis par le passé.

En 1974, le biologiste allemand Erwin Patzelt tentait d'établir un contact avec les redoutables Huaorani de la région du Cononaco en Equateur. Il entrait pour la première fois en contact avec le groupe Huaorani de Kampaeré.
Patzelt gagna la confiance du groupe en jetant des petits parachutes rouges reliés à des paquets contenant des cadeaux, du riz, du sel et du sucre. Patzelt avait réussit sa mission : convaincre la tribu de Kampaere de migrer vers le territoire concédé par le gouvernement équatorien.

En 1987, deux religieux, qui s'étaient fait déposer en hélicoptère, eurent beaucoup moins de chance. Ils trouvèrent la mort, le corps transpercé de plusieurs lances. D'autres groupes huaorani ont été rassemblés dans un village artificiel sous la coupe du Summer Institute of Linguistic, une secte évangélique américaine radicale, très puissante qui étend son influence dans toute l'Amérique du Sud et bien au-delà.

Un peu partout, les tribus sont dressées les unes contre les autres. Les communautés amérindiennes vivant dans les abords immédiats des champs pétrolifères sont décimées. Les territoires indigènes sont assaillis de toutes parts. Les multinationales de l'industrie agroalimentaire ou du pétrole contrôlent, dès le début des années 1990, des territoires immenses. Les grandes compagnies mettent des moyens importants à la disposition des missionnaires évangélistes et

mêmes d'ethnologues pour qu'ils se chargent du sale boulot. Pacifier les autochtones récalcitrants et, surtout, les amener à rejoindre des missions ou des villages construits pour eux par les pétroliers à la périphérie des pôles de colonisation.
Les petits paysans des premières vagues de migration doivent eux aussi laisser la place à de grands exploitants qui déboisent d'immenses domaines pour l'élevage intensif, l'exportation du bois ou plus récemment la culture du soja.

Chaque année ce sont des centaines de milliers de kilomètres carrés de forêt qui sont remplacés par des champs de soja. A cela s'ajoutent les impacts des engrais chimiques et du mercure utilisés par les chercheurs d'or qui polluent les rivières et les nappes phréatiques de façon inquiétante. La destruction de la forêt et la pollution de l'eau ont des conséquences dramatiques sur la santé des Amérindiens et sur les équilibres qui régissaient leur vie.

La colonisation s'invite aux portes des territoires indigènes. Des villes dignes du Far West poussent comme des champignons. L'Indien est peu à peu happé par un nouveau mode de vie, confronté brutalement à de nouvelles règles, d'autres manières de penser qui le rendent vulnérable. Pêcheurs d'âmes ou chasseurs de profit font de lui le laissé pour compte de l'aventure amazonienne... Sans argent, sans rien à vendre, l'entrée dans la société de consommation est un voyage sans retour.

Sur place, les communautés tentent de résister. Dans le monde entier les leaders amérindiens essaient de sensibiliser l'opinion. Les associations comme ICRA International relaient leur message mais les changements de mentalité se font attendre. Même dans les régions les mieux préservées, les sociétés traditionnelles sont touchées dans leurs fondements les plus essentiels.

Wayana, être amérindien en Guyane française

En Guyane française, les Indiens wayana ont été protégés dès le début des années 1970 par un décret réglementant l'accès à leur territoire mais celui-ci n'est plus respecté de nos jours. Un parc national a bien été créé en 2007, mais il ne tient guère compte de l'intégrité culturelle et territoriale des communautés autochtones, les livrant en pâture aux profiteurs en tout genre. Adeptes de l'écotourisme ou de l'ethnotourisme se pressent aujourd'hui aux portes des territoires amérindiens pendant que les orpailleurs continuent à polluer les rivières au mercure. Des expériences intéressantes avaient pourtant été tentées chez les Wayana. Ici depuis 1987, un système scolaire adapté a été mis en place. Les enfants consacrent leurs matinées à l'école pour apprendre à lire et à écrire la langue de Molière ou l'arithmétique, et leurs après-midi pour découvrir la vie de la forêt dans les pas des plus grands. Pourtant les anciens sont inquiets. Les rites fondateurs disparaissent.

Les cérémonies initiatiques du *maraké* n'ont pratiquement plus cours. S'il arrive encore que certaines communautés wayana en organisent, les rituels sont tellement altérés qu'ils ne veulent plus rien dire. Les jeunes quittent les villages et sont attirés par l'alcool, la drogue et l'appât du gain. La télévision remplace maintenant les longues veillées autour du feu à se raconter les histoires de chasse ou de pêche, les anecdotes du jour, mais aussi les mythes et légendes de la tribu.

Un mal plus insidieux encore touche aujourd'hui les Wayana comme la plupart des peuples de l'Amazone, c'est le prosélytisme des Eglises évangéliques américaines qui s'installent partout où elles le peuvent et tout particulièrement au Surinam voisin. Depuis la fin des années 1990, le nombre de suicides d'adolescents ou de jeunes adultes s'est accru de façon inquiétante. Il témoigne du mal-être de toute une génération de jeunes Indiens aux racines brisées et aux espoirs déçus.

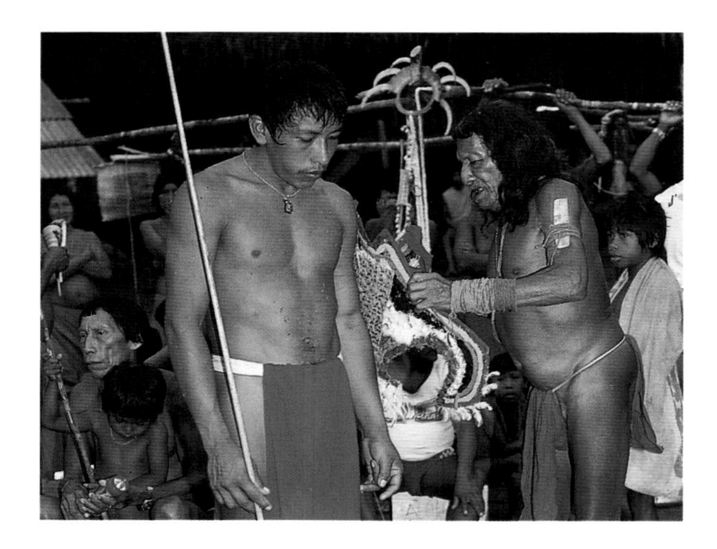

Rescapés d'un génocide programmé, les Tapirapé

Au début des années 1950, la petite tribu des Tapirapé était à la veille de son extinction totale. Il ne restait plus alors qu'une cinquantaine d'individus convertis à la hâte par un père dominicain. En 2012, les Tapirapé, gardiens d'une spiritualité et d'une tradition ancestrale uniques, malgré la proximité de la ville et des colons, avaient pu échapper de justesse à l'extinction. Au nombre de huit cents, ils doivent leur survie à trois religieuses de la congrégation des sœurs de Foucauld.

Si la plupart des œuvres missionnaires se consacrent à l'évangélisation, les petites sœurs de Foucauld font partie de ces très rares missionnaires qui respectent au plus haut point la spiritualité originelle et la culture des communautés dont elles partagent le quotidien. Elles n'ont jamais cherché à influer sur le groupe ni à convertir les Indiens qui ont conservé jusqu'à nos jours leur spiritualité animiste. Par contre, elles ont participé humblement à la vie de la communauté et lui ont apporté un soutien sanitaire et médical qui a permis de sauver la tribu. Les sœurs de Foucauld ont tout simplement suivi un des préceptes du Christ : « Aimez-vous les uns les autres. »

Contemplatives, elles se contentent d'un modeste lieu de prière sobrement aménagé dans un coin de leur hutte indienne. Elles ont tout simplement appris à écouter avant de parler, à respecter la différence et la spiritualité des Tapirapé, sans chercher à leur faire trahir les enseignements de leurs ancêtres.

Les attraits d'un monde illusoire

Les trop rares tribus qui ont pu échapper à l'influence de religions prosélytes ont su, à l'image des Yawalapiti du parc Indigène du Haut-Xingu dans le Mato Grosso, préserver leur organisation sociale symbolisée par ces grandes *malocca* érigées en cercle autour de la place du village et de la maison des cérémonies.

Si les impacts extérieurs n'ont pas totalement épargné ces ethnies, les anciens continuent à enseigner aux plus jeunes leur spiritualité, leurs traditions et leurs savoirs, notamment la connaissance du monde végétal et de ses vertus médicinales. Malheureusement, les jeunes Amérindiens sont de plus en plus attirés par le monde des Blancs, par sa technologie et surtout par l'argent. Beaucoup s'installent dans les petites villes brésiliennes qui se développent à la périphérie des réserves amérindiennes. Plus de huit mille Indiens vivent aujourd'hui à Brasília, la capitale. Beaucoup quittent les réserves pour aller faire des études ou trouver un travail rémunérateur. Ils vont à l'université, apprennent l'informatique et tout un tas de choses tellement éloignées de la vie dans la forêt. C'est un univers compliqué et difficile pour les Amérindiens !

L'un des défis des présidents Lula et Dilma Rousseff, était d'apporter aux cent quatre-vingt-dix millions de Brésiliens un niveau de vie digne de celui des pays européens ou nord-américains. Ils y sont en partie parvenus. En moins d'une décennie, les revenus des Brésiliens se sont considérablement accrus. Le Brésil est en train de devenir cette grande nation chrétienne que d'aucuns prévoyaient et qui peut maintenant défier sans complexe les Etats-Unis, l'Europe ou la Chine, mais cela ne pouvait se faire sans sacrifice. Et ce sacrifice c'est le bassin de l'Amazone, son immense forêt nourricière, son réseau fluvial. Ceux qui en paient le prix : les peuples qui y vivent, les Amérindiens !

Les financiers et les politiques disent avoir besoin des terres et des richesses du bassin amazonien pour soutenir la croissance économique du Brésil. L'Indien n'est rien pour eux ! « Les politiques préfèrent négocier avec de faux représentants, des leaders autochtones et des caciques corrompus qui sont prêts à signer n'importe quoi en notre nom pour encaisser les millions de dollars prévus pour dédommager nos peuples du préjudice que les grands projets hydroélectriques et l'exploitation à outrance du bassin de l'Amazone leur font subir. Il est temps que l'on arrête de nous traiter comme des enfants ! » Ainsi se sont exprimés à notre micro les représentants de la communauté munduruku venus manifester à Brasília contre l'invasion de leurs territoires par les multinationales de l'énergie et de l'exploitation minière.

Raoni, porte-voix de l'Amazonie indienne

C'est en France, à l'occasion de sa dernière tournée européenne, que nous avons rencontré Raoni, le chef kayapo, symbole emblématique de la lutte engagée pour sauver le poumon vert de la planète. Raoni a voyagé dans le monde entier. Il a fréquenté les plateaux de télévision, il a sensibilisé les opinions publiques de plusieurs grands pays. Il a rencontré François Mitterrand, Jacques Chirac, le roi d'Espagne, le prince Charles, l'empereur du Japon, le pape Jean-Paul II, François Hollande, et bien d'autres dirigeants. « Je suis ici pour défendre la forêt dans laquelle nous avons toujours vécu, nous avons toujours respecté les Blancs, nous vous demandons de nous respecter et de respecter l'Amazonie dont la planète tout entière a besoin pour vivre. » Propulsé, sans doute un peu malgré lui, dans un rôle qui le dépasse, entraîné dans des campagnes de soutien à la cause amazonienne ou de recherches de financement qu'il ne maîtrise pas vraiment, Raoni martèle son message relayé aujourd'hui par son neveu Megaron et par une nouvelle génération de leaders amérindiens. Ils dénoncent, entre autres atteintes à la forêt amazonienne, un projet de barrage gigantesque, le Belo Monte, qui va inonder la grande boucle du rio Xingu et entraîner l'expropriation de plus de quarante mille personnes. Le premier d'une dizaine de grands barrages que le gouvernement brésilien veut construire en Amazonie pour assurer l'indépendance énergétique du pays.

Certains leaders et caciques comme Raoni ont appris depuis déjà de nombreuses années à composer avec le monde du dehors. Plusieurs d'entre eux se sont malheureusement laissé corrompre par les promesses des multinationales, des fonctionnaires du gouvernement brésilien, de voyageurs et d'aventuriers à la recherche d'une reconnaissance ou d'une notoriété médiatique et parfois même d'ONG peu scrupuleuses. Les tribus les plus récemment contactées ne parviennent généralement pas à surmonter le traumatisme que cela représente pour elles.

YAWALAPITI

Conserver la mémoire des anciens

La grande forêt amazonienne commence à la limite de la réserve des Yawalapiti. Ils vivent dans le parc indigène du Haut-Xingu, près des sources du fleuve sacré Xingu, l'un des plus gros affluents de l'Amazone. Nous sommes dans l'Etat du Mato Grosso au cœur du Brésil. Aujourd'hui, le parc est encerclé de grandes plantations de soja. Les villes poussent à sa périphérie comme des champignons. Vu d'avion on dirait une oasis de forêt préservée perdue au milieu d'un désert !

Si les jeunes Yawalapiti sont de plus en plus nombreux à quitter la réserve, l'*aldeïa*, le village des Yawalipiti, compte encore environ deux cents habitants, une quinzaine de familles qui continuent à vivre de la pêche, de la chasse et du manioc qu'ils cultivent dans leurs abattis.

Aritana, le cacique des Yawalipiti, un chef connu et respecté dans tout le bassin de l'Amazone, et son frère Pirakuma ont été adoptés très jeunes par Orlando Villas Boas, l'un des plus célèbres défenseurs de la cause amérindienne au Brésil. Orlando et ses frères Claudio et Leonardo ont obtenu la démarcation et la protection des territoires indigènes de la région du fleuve Xingu.

Dans le Haut-Xingu, les fondements de l'identité, de la culture, et de la spiritualité amérindiennes ont pu être préservés grâce à la détermination des frères Villas Boas et des leaders autochtones qui leur ont succédé à l'exemple d'Aritana. Et pourtant, depuis leur premier contact avec « le monde du dehors », beaucoup de choses ont changé. Les jeunes s'en vont. La déforestation avance. Les rivières sont polluées...

Aritana guide son peuple dans ses combats tout en restant le gardien de ses traditions : « Notre force, c'est notre culture ! Les peuples du Xingu sont uniques au Brésil. Nous sommes les seuls à avoir su préserver l'héritage de nos ancêtres. Les autres Indiens d'Amazonie ont presque tout perdu ! »

Il y a soixante ans, les Yawalapiti ont pourtant bien failli disparaître à jamais. Au début des années 1950, il ne restait plus en effet que quelques individus. Orlando Villas Boas a incité les derniers survivants à fonder des familles avec des membres des tribus voisines. Mais comme chez les Yawalapiti les jeunes apprennent plus facilement la langue de leur mère, la langue yawalapiti se perd. Aritana et son frère Pirakuma font partie des dix-neuf personnes qui sachent encore le parler.

En 2008, les Yawalapiti ont exprimé le souhait d'enregistrer la parole des anciens et de filmer les rituels les plus importants avant qu'ils ne se transforment trop et ne disparaissent dans les abîmes de l'oubli.
Trois associations, ICRA International, le Fonds mondial pour la sauvegarde des cultures autochtones et l'association Jabiru ont fourni à la communauté une caméra numérique et ont appris à quelques jeunes Yawalapiti à s'en servir. Pendant deux ans, forts de ces acquis, les jeunes ont enregistré les anciens et filmé le grand rituel fondateur du *kuarup*, dont les cérémonies s'étalent sur de nombreux mois. Chaque famille du village possède aujourd'hui le DVD du film réalisé à partir de ces images extraordinaires qui témoignent de la vivacité de la culture yawalapiti.

En 2010, nous nous sommes rendus sur place pour enseigner les techniques de la prise de vue et du montage numérique aux jeunes les plus motivés. Ils maîtrisent désormais entièrement la réalisation de leurs films documentaires, du tournage jusqu'au montage final.
La diffusion sur une chaîne de télévision française du film *Kuarup, la joie du soleil*, réalisé à partir des images tournées par les jeunes Yawalapiti et de mes propres images, nous a permis de fournir à la communauté une deuxième caméra et une station de montage pour qu'ils puissent poursuivre eux-mêmes ce travail de mémoire, enregistrer la tradition orale transmise par les plus anciens et filmer dans le détail les rituels et cérémonies de la tradition yawalapiti.

Kuarup, la joie du soleil

Le *kuarup* est le grand rituel fondateur des Yawlapiti. Neuf tribus d'Amazonie se réunissent pour honorer leurs morts et retrouver la joie du soleil. Pendant un an, le village de Tuatuari va vivre au rythme des pêches collectives, des flûtes *wêpê*, et des danses traditionnelles. Les âmes des morts de la tribu s'incarneront dans les troncs *kuarup* jusqu'au grand tournoi de lutte *huca huca*. Après la saison des pluies, le rite du *javari* clôturera les festivités. Les peuples du Haut-Xingu retrouveront alors la paix et l'harmonie.

Aritana raconte aux jeunes caméramen que le *kuarup* plonge ses racines dans les tout premiers temps. Pour rendre un dernier hommage à leur mère décédée, Soleil et Lune lui redonnèrent vie à travers un tronc d'arbre dans lequel elle s'incarna. Ils invitèrent le peuple des poissons et des animaux à peau pour un grand tournoi de lutte *huca huca*. Hommes et animaux ne formaient alors qu'un seul et même peuple. Depuis, c'est ainsi que les Yawalapiti célèbrent leurs morts.

Il y a un mois un chef yawalapiti est mort. Les premières cérémonies ont commencé dès son enterrement.
Quatre jeunes Yawalapiti ont entrepris de filmer chacun des nombreux rituels qui vont accompagner le *kuarup* pendant plusieurs mois.

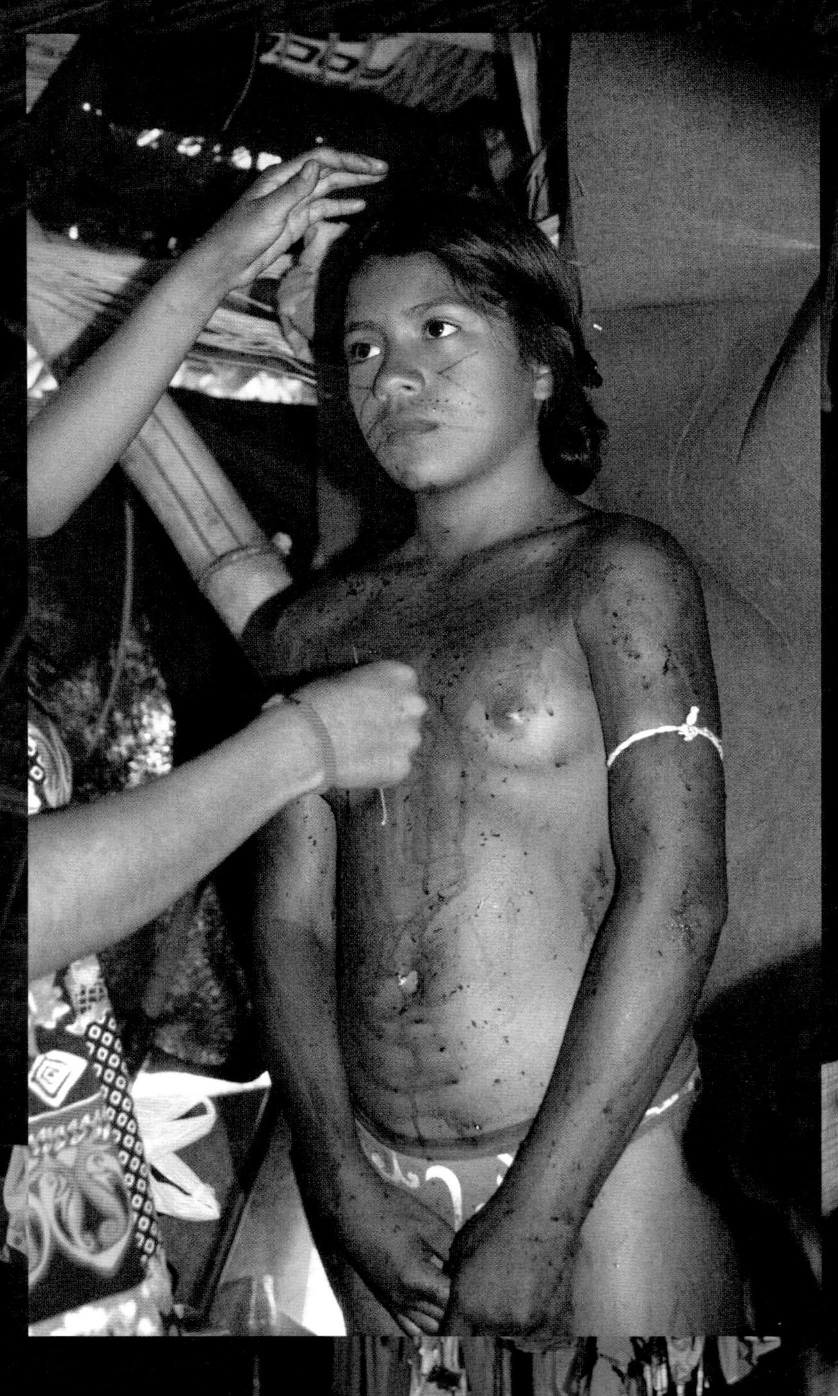

Lorsque quelqu'un meurt, la communauté est déstabilisée. L'entrée en réclusion de l'un ou l'une des jeunes du village aide la tribu à combler le vide laissé par la personne décédée. C'est la première menstruation qui fixe la date d'entrée en réclusion des jeunes filles. Pour les garçons, c'est selon la volonté de leurs parents. Pendant les périodes de réclusion, les anciens transmettent aux jeunes initiés la connaissance pour qu'ils trouvent leur place dans la communauté. Une fille peut rester en réclusion de huit mois à un an. Au cours de cette étape, elle devient une femme. Elle apprend les techniques artisanales, elle peut se peindre le corps, se ligaturer les genoux pour faire enfler ses mollets, et se faire scarifier le corps pour être plus forte. On lui fait boire des décoctions de plantes pour qu'elle soit plus belle et qu'elle puisse attirer les garçons.
Les garçons quant à eux doivent respecter plusieurs périodes de réclusion d'au moins cinq à dix mois chacune. Plusieurs familles du village profiteront des cérémonies du *kuarup* pour libérer les jeunes reclus.

Plus les cérémonies du *kuarup* approchent, plus souvent les flûtes *wêpê* sortent. Elles passent de *malocca* en *malocca* pour ramener peu à peu la joie dans le village. Selon la légende, les flûtes *wêpê* ont été apportées aux Yawalapiti par les deux fils que le pêcheur Marikanioulu a eus avec une raie. Les deux garçons en ont joué pour le premier *kuarup*, celui célébré par Soleil et Lune.

Plusieurs mois viennent de s'écouler, les Yawalapiti arrivent à une phase décisive du grand cérémonial. Ils doivent aller chercher les troncs *kuarup* qui vont bientôt accueillir les âmes de leurs chers défunts. Ils choisissent dans la forêt un bel arbre bien droit. Ils y taillent trois rondins : un pour le chef défunt, et deux autres pour deux personnes décédées au même moment. Le *pajé* les consacre. Les troncs *kuarup* sont ensuite transportés à bord du tracteur de la communauté à la lisière du village dans un endroit ombragé.

En cette période de fête, la principale activité des femmes est la préparation du manioc. Les Yawalapiti doivent également préparer beaucoup de roucou pour les peintures rituelles. Ils utilisent aussi le *genipapo* qui donne la couleur noire. Les peintures corporelles, propres à chaque rituel, symbolisent les animaux mythiques comme le jaguar.

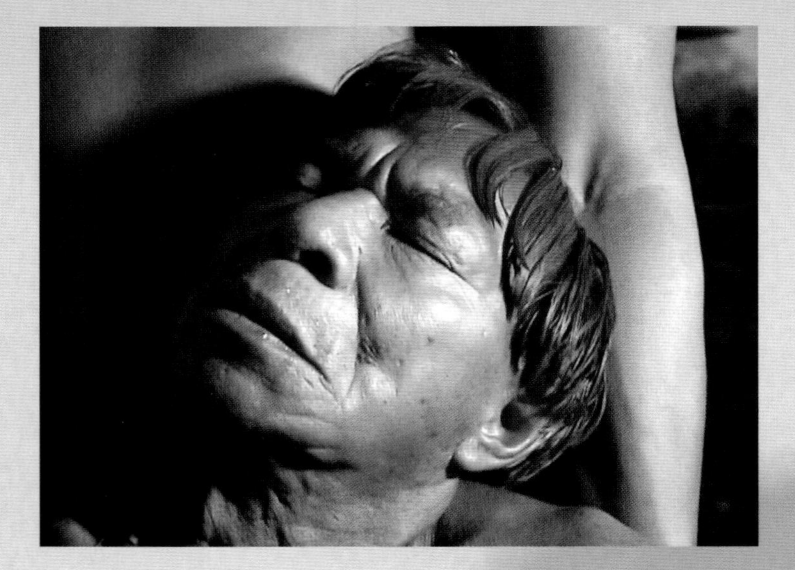

Plusieurs personnes sont malades dans le village. Pendant une semaine les Yawalapiti doivent stopper toute activité festive ou rituelle. Pirakuma a demandé au *pajé* de consulter l'esprit de l'urubu, maître du ciel, pour savoir de quel mal souffre Yamouni, son épouse. Elle est très fatiguée, et souvent prise de crises violentes. Le *pajé* a trouvé le fétiche qui était enterré au pied d'un arbre à l'entrée du village. Il doit le détruire pour chasser le mauvais esprit. Aritana explique que lorsque le *pajé* fume, il voit les esprits. Ils lui disent tout ce qui se passe, si un sort a été jeté sur un habitant du village, si une âme est malade, si des âmes errantes veulent influer sur les vivants.

Une semaine avant la cérémonie des troncs sacrés, les *pajé* discutent avec le maître des poissons. Ils lui offrent de quoi manger pour l'amadouer et font des offrandes aux esprits de la rivière. Pendant ces grandes pêches collectives, les Yawalapiti doivent capturer le plus de poissons possible car il y a beaucoup de monde à nourrir pendant le *kuarup*. Après les grandes pêches rituelles, les hommes creusent trois trous sur la place des cérémonies pour accueillir les troncs *kuarup*. Sculptés et peints à l'image des défunts, décorés et parés de leurs colliers et de leurs coiffes de plumes, les troncs *kuarup* sont prêts à accueillir leurs âmes. Tous pleurent beaucoup, les défunts doivent savoir à quel point ils manquent aux vivants.

La rivière et la forêt sont peuplées d'êtres invisibles qui n'apparaissent qu'aux pajé, ceux qui ont assez de sagesse pour les voir.

Le Xingu est notre fleuve sacré. C'est sur ses rives que le grand esprit Kuamuti a créé le ciel, la terre, et tout ce qui vit. L'âme de nos morts se manifestera plus tard sous la forme d'animaux. Les animaux à peau, à plumes et le peuple de l'eau partagent avec nous la forêt et les rivières.

ARITANA YAWALAPITI

Au cœur de la nuit, le maître de cérémonie appelle les chanteurs de chaque tribu invitée. Ils portent les ceintures et les parures de plumes des chers défunts. Chacun entonne trois chants devant chaque tronc pour réveiller les âmes. Tous les danseurs du village sortent à présent des *malocca* pour un dernier hommage.

C'est seulement le lendemain matin que les invités sont autorisés à entrer dans le village. C'est à ce moment que le maître des cérémonies, appelle les lutteurs pour le grand tournoi *huca huca*. Tumi est le premier à combattre. Il défie le meilleur lutteur des Kalapalo. Pendant le combat, les lutteurs imitent le grognement du jaguar. Il faut déstabiliser l'adversaire en le soulevant du sol. Le gagnant confère honneur et prestige à sa tribu.

Le tournoi se termine par des joutes collectives. Elles annoncent la fin du deuil. Les âmes des défunts, libérées, peuvent enfin rejoindre les esprits de l'au-delà.

Les jeunes filles vierges qui terminent leur période de réclusion distribuent des noix de péqui et du poisson aux chefs de chaque ethnie invitée. L'harmonie familiale est retrouvée. Chacun peut maintenant oublier sa nostalgie et reprendre une vie normale. Dans quelques mois, les Yawalapiti célébreront le dernier grand rituel, le *javari*.

Ces rituels fondateurs et cette riche tradition orale, qui plongent leurs racines dans l'origine des temps et des légendes des Yawalapiti, ont pu être préservés parce que les Yawalapiti ont toujours refusé l'accès de leurs réserves aux évangélistes et aux missionnaires. « Nos rituels se transforment rapidement. Et encore, ici nous avons évité l'évangélisation, dit Pirakuma, Orlando Villas Boas a toujours dit à notre père qu'il ne fallait jamais laisser entrer les missionnaires chez nous. Si nous l'avions fait, notre culture, notre langue, tout aurait disparu, tout serait mort, c'est certain ! J'ai vu ce qui s'est passé dans les tribus qui ont accepté de se convertir. Ils ont déjà perdu tous leurs repères. »

La paix du Javari

Plusieurs mois se sont écoulés depuis les dernières célébrations. Les jeunes sont contents de se retrouver tous ensemble au village pour aller filmer le *javari*. Le dernier rite en l'honneur des défunts célèbre les valeurs guerrières des Yawalapiti. Il permet de réconcilier d'anciens adversaires et d'apaiser les conflits.

Dans le village de leurs cousins kamayura, les guerriers se rassemblent autour de leurs chefs à l'intérieur de la maison des hommes.

Les provocations commencent.
Les Kamayura attaquent un mannequin de paille mais en fait ce sont les Yawalapiti, leurs cousins, qu'ils provoquent. Les Yawalapiti sont demeurés silencieux. Maintenant, c'est à leur tour de répliquer.

Ensuite, les vrais défis peuvent débuter. Chaque guerrier doit éviter la flèche de son cousin en se protégeant derrière un bouclier de branches de plus en plus étroit.

Les femmes yawalapiti rejoignent les hommes de la tribu invitée et réciproquement pour danser. Après quoi il faut brûler le mannequin, les boucliers et les flèches.

Autrefois, nos rites avaient beaucoup plus de force. Aujourd'hui ça n'est plus pareil. Les rites sont moins bien respectés. Il y a de moins en moins de participants. On voit bien les différences d'une année sur l'autre. Qu'est-ce que ce sera dans dix ou vingt ans ?

Notre film Kuarup, filmé par nos enfants, est le gardien de notre mémoire pour les générations futures, et j'espère que nous en ferons d'autres pour inscrire la mémoire de nos peuples dans la grande histoire des hommes et pour que nos nouvelles générations se rappellent d'où elles viennent.

A vous aussi, frères et sœurs du monde du dehors, je suis fier de vous avoir montré qui nous sommes, nous les Yawalapiti du Haut-Xingu !

ARITANA YAWALAPITI

Dans le village de leurs cousins kamayura, les guerriers se rassemblent autour de leurs chefs à l'intérieur de la maison des hommes. Les provocations commencent. Les Kamayura attaquent un mannequin de paille mais en fait ce sont les Yawalapiti, leurs cousins, qu'ils provoquent. Les Yawalapiti sont demeurés silencieux. Maintenant, c'est à leur tour de répliquer.

Ensuite, les vrais défis peuvent débuter. Chaque guerrier doit éviter la flèche de son cousin en se protégeant derrière un bouclier de branches de plus en plus étroit. Les femmes yawalapiti rejoignent les hommes de la tribu invitée et réciproquement pour danser. Après quoi il faut brûler le mannequin, les boucliers et les flèches.

Aritana, son frère Pirakuma et les leurs ont appris le langage et les codes des Blancs. Ils comptent bien s'en servir aujourd'hui pour tenter de sauver ce qui peut encore l'être. Pour que leurs enfants et les enfants de leurs enfants puissent espérer participer un jour au renouveau tant attendu du dialogue des civilisations.

LES DERNIERS NOMADES

Pendant la plus grande partie de son existence, l'homme a été nomade. D'abord chasseur-cueilleur se déplaçant continuellement dans les jungles et les savanes pour ramasser et cueillir fruits et tubercules, pêcher et chasser poissons ou gibier nécessaires à sa subsistance, puis éleveur, se déplaçant de pâturages en pâturages avec des troupeaux dont le lait, le sang ou la viande lui permettaient de vivre dans les steppes ou les déserts les plus rudes.

C'est après avoir appris à domestiquer des ovins, des caprins, des bovidés ou des camélidés que différentes sociétés humaines ont adopté progressivement partout où le milieu était approprié un mode de vie pastoral nomade. Soigné, choyé, aimé, l'animal d'élevage est devenu dès lors presque sacré, car il apporte à l'homme tout ce dont il a besoin. Les peaux dont il peut se vêtir, le lait dont il peut s'abreuver, la viande pour les grandes occasions et parfois le sang qui lui fournit les protéines nécessaires sans avoir à tuer l'animal, ce sang chaud que les nomades des savanes africaines prélèvent délicatement par saignées à la veine jugulaire. Il est en effet assez rare que les éleveurs nomades abattent leurs animaux pour la viande dans le contexte de l'alimentation quotidienne. Ils utilisent également l'urine pour le nettoyage des plats ou des peaux, les bouses pour la couverture et l'isolation des toitures des huttes ou encore, une fois séchées, comme combustible.

Ainsi, pendant longtemps, ces pasteurs ont mieux résisté que les peuples sédentaires aux aléas climatiques et tout particulièrement aux grandes sécheresses africaines. Lorsqu'elles survenaient, il suffisait alors aux nomades de se déplacer sous des cieux plus cléments à la recherche de nouvelles zones de pâturages. Et s'ils n'en trouvaient pas, alors ils prélevaient un peu plus de lait et de sang sur les animaux restés en bonne santé. Si la sécheresse durait, ils perdaient parfois des bêtes, voire une partie du cheptel, mais leurs troupeaux sont si importants et si bien soignés qu'ils pouvaient attendre des jours meilleurs. Seul le mode de vie nomade permet d'entretenir ainsi des troupeaux importants qu'il convient de déplacer régulièrement pour renouveler les pâturages.

La sédentarisation des nomades telle qu'elle se poursuit aujourd'hui entraîne des conséquences souvent dramatiques pour ces peuples qui éprouvent beaucoup de difficultés à s'adapter, tant à la vie sédendaire qu'aux techniques agricoles qu'on voudrait leur voir adopter.

Au Sahel par exemple, les anciens colons et les associations humanitaires qui leur ont succédé sur le terrain ont pensé bien faire en sédentarisant et en convertissant à l'agriculture des nomades peuls ou touaregs du Sahel. Tout cela entre malheureusement dans le cadre du concept de développement imaginé par les Occidentaux pour les peuples nomades, la sédentarisation allant généralement de pair avec la conception occidentale de l'évolution. Les nomades récemment sédentarisés ont été les premières victimes des grandes sécheresses des années 1980 et 1990 comme des pluies les plus violentes. Car une fois la récolte détruite et les quelques animaux qu'ils possédaient encore morts ou très affaiblis, il ne leur restait plus rien.

Les derniers grands nomades ne se trouvent plus aujourd'hui que dans les steppes de Mongolie, le désert du Gobi, les taïgas de Sibérie, les régions marécageuses du Sud-Soudan, les savanes africaines de la vallée du Rift en Ethiopie, au Kenya, en Tanzanie, ou dans les zones sahéliennes qui s'étirent aux marges du Sahara en Afrique de l'Ouest. Mongols, Evenk, Tsaatan, Nuer, Dinka, Mursi, Hamer, Turkana, Samburu, Massaï, Peuls ou Touaregs, ils ignorent les frontières et ne conçoivent pas que la terre, l'air ou l'eau puissent appartenir à quelqu'un. Leur seul repère est comme pour leur troupeau qui ignore toute barrière à sa liberté, l'absence de limites.

LES FILS DU VENT
Nomades de Mongolie

Oulan-Bator, la capitale, est peut-être la seule vraie grande ville de Mongolie, mais quelle ville ? Une capitale quasi mythique pour les Mongols. Une cité tentaculaire qui s'extirpe péniblement de l'austérité de l'architecture imposée lors de la longue période communiste. Ici vit pratiquement la moitié de la population du pays. Mais toute médaille à son revers. Oulan-Bator ce sont aussi les déshérités, nomades récemment convertis à la vie sédentaire, de plus en plus nombreux à converger vers la capitale qui, là-bas du fond de leur steppe, avait des allures de miroir aux alouettes. Oulan-Bator, ce sont aussi les symboles et les monuments qui rappellent l'histoire du peuple mongol. Gengis Khan bien sûr, mais aussi les dominations chinoise et russe. Le pays mongol[1] fut annexé par la Chine en 1756. Sa plus grande partie, la Mongolie dite extérieure, parvint tout de même à obtenir un début d'autonomie en 1911. Mais sous l'influence de l'Union soviétique, des kolkhozes furent construits à travers tout le pays pour sédentariser coûte que coûte les nomades. Il fallut attendre 1990 et la chute du mur de Berlin pour que la Mongolie connaisse un début d'émancipation vis-à-vis de son puissant voisin russe.

Aujourd'hui, la plupart des familles nomades possèdent une petite maison dans ces anciens kolhhozes, où elles peuvent passer le cœur de l'hiver, saison pendant laquelle les enfants de la steppe y sont scolarisés et séjournent le plus souvent chez leurs grands-parents qui vivent là une partie de l'année.

1. *Mongolie, les fils du vent*, Ken Ung et Patrick Bernard, Pages du monde, coll. « Anako ».

C'est à Karakorum, considérée comme l'ancienne capitale de la nation mongole, que les tenants de la tradition nomade se laissèrent tenter par la sédentarité des peuples qu'ils avaient vaincus.
Il ne reste que peu de vestiges répartis autour du temple Erdene zhuu. A la différence des autres conquérants comme les Occidentaux, les Mongols n'ont jamais cherché à transformer les modes de vie des peuples qu'ils soumettaient ni à les convertir à leurs propres croyances. Bien au contraire, ils se sont souvent inspirés de ce qu'ils découvraient : l'agriculture, la sédentarité, les différentes religions auxquels ils se sont parfois essayés pour s'intéresser finalement au bouddhisme tibétain dont plusieurs khans – les seigneurs mongols – ont adopté la philosophie et la spiritualité toujours subtilement teintée de l'animisme des origines.

L'histoire mongole mêle dans un même souffle généalogie et épopées, chamans et archers, conflits claniques et conquêtes lointaines. Elle ne dévoile toutefois que quelques-uns des secrets et des dessous de l'histoire de l'empereur Gengis et de ses descendants.

Avec une armée d'à peine cent vingt mille hommes conduite par l'empereur le plus craint de tous les temps, Gengis Khan, les Mongols ont conquis le plus vaste empire jamais établi par une même nation sur la surface de la planète. Il allait s'étendre des rives du Pacifique aux rives de l'Atlantique en Europe occidentale, de la Sibérie aux côtes de l'océan Indien.

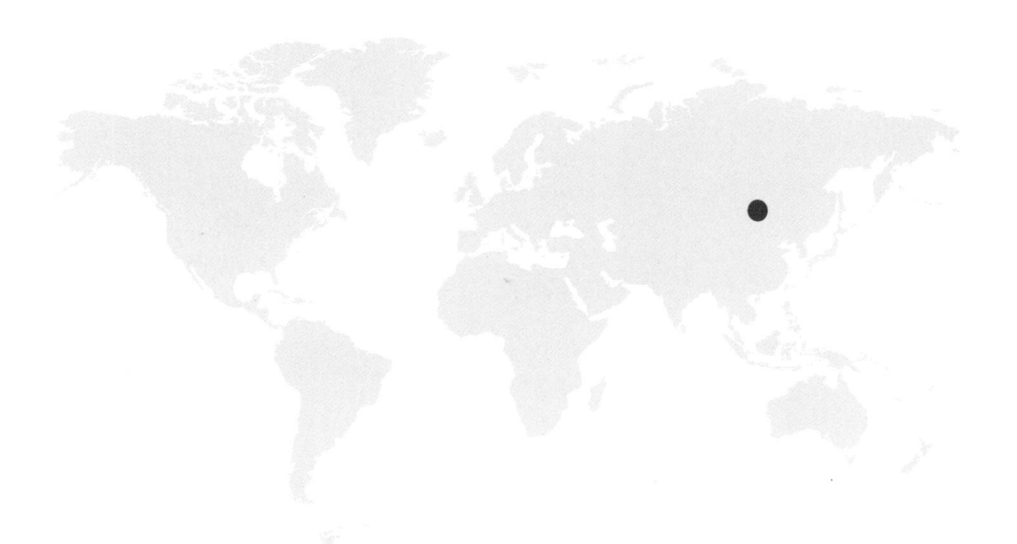

Au nord, la taïga.
Au centre, la steppe.
Au sud, le désert de Gobi.
Aux confins des confins, la Mongolie...
Espaces sans limites…
Puis, dans la lumière limpide de la haute Asie un bruit de galop…
Souples et fiers sur leurs chevaux, ils ne font que passer, les passagers de la terre, fils du vent, héritiers de Gengis Khan, les cavaliers mongols.

Ici on n'entend que le souffle divin de la nature, une nature extrême, balayée par les vents et qui ne tolère que l'éphémère présence des derniers grands nomades.

Dans le Nord du pays, dans la province du Khövsgöl, sur une colline surplombant un petit lac, Altenguerrel, a planté ses deux yourtes familiales dans l'un de ses campements d'été. Tous les amis de la famille se retrouvent dans les enclos pour aider à la tonte des moutons... Si les produits dérivés du lait et de la viande constituent la ressource principale de ces nomades, ils parviennent à tirer également quelques petits compléments de ressources en vendant la laine aux coopératives locales qui la commercialiseront ensuite. Il s'agit que tout soit terminé à temps car dans quelques jours tout le monde n'aura plus qu'une idée en tête, la préparation du prochain *naadam* qui se déroulera dans le chef-lieu du *sum*, à Tosontsengel.

Chaque matin dès l'aube, Altenguerrel enfourche son cheval pour aller voir ses troupeaux. Il doit parcourir des kilomètres de steppe pour localiser ses bêtes et les diriger vers les meilleurs pâturages. Comme tout nomade mongol, Altenguerrel ne se sépare presque jamais de l'*urga*, son lasso fixé à l'extrémité d'une longue perche.

Les Mongols ont un vocabulaire propre à chaque espèce animale. Il y a les museaux chauds, les museaux froids, ceux auxquels ils vouent une véritable passion et qui s'éloignent sur de grandes distances comme les chevaux, les chameaux ou les yacks, et puis ceux qui paissent dans les pâturages proches de la yourte, ces moutons et ces chèvres qu'ils appellent les pattes courtes et dont la surveillance est plutôt confiée aux enfants.
Les animaux, au premier rang desquels se trouvent l'aigle et le cheval, occupent une place essentielle dans l'univers spirituel des nomades. Ils représentent la forme initiale de l'esprit de l'homme, l'ancêtre des ancêtres.

Comme chaque matin dès l'aube, Tuya, l'épouse d'Altenguerrel, rassemble les vaches pour la traite. Le premier lait du matin revêt une valeur symbolique importante. C'est dans

un geste gracieux, immuable, que Tuya l'offre à chaque jour naissant aux esprits du ciel pour qu'ils n'oublient pas de veiller sur la famille et sur le troupeau.

Nous sommes à la sortie de l'hiver. En ces journées printanières, les familles quittent leur lieu d'hivernage pour rejoindre les zones de pâturages qui commencent à reverdir. C'est pendant les changements de saison que l'on a le plus de chances de croiser ces longues files de chariots que l'on croirait sorties du Moyen Age. Tirés par des yacks, ils transportent les yourtes, les ustensiles de cuisine, les malles en bois. Oh le nomade ne s'embarrasse jamais de choses inutiles. Sa vraie richesse à lui c'est de pouvoir se déplacer au gré des vents, sa liberté, c'est l'éphémère auquel le mouvement permanent confère un goût d'éternité.

Ronde pour mieux résister au vent, la yourte est simplement posée sur le sol. Le terme de yourte est surtout utilisé dans le Kazakhstan, ici on l'appelle plutôt *guer*. Deux mâts centraux soutiennent le *toono*, l'armature circulaire à laquelle viennent se fixer les poutrelles peintes. Ils symbolisent le lien entre la terre et le ciel, la cohésion de la famille qui l'habite. L'axe passé-présent-futur est censé les traverser... Après quoi, l'on dispose une ou plusieurs couches de feutrine en laine de mouton, et enfin, une toile recouvre l'ensemble. Le tout est solidement maintenu par des sangles attachées aux

montants de l'unique porte qui doit toujours être orientée vers le sud. En pénétrant sous la yourte un homme va directement côté ouest sous la protection du ciel, une femme côté est sous la protection du soleil, quant à la place d'honneur réservée aux invités ou aux aînés, elle se trouve à l'opposé de la porte contre le mur nord.

La journée commence toujours par un thé au lait salé, qui sera suivi un peu plus tard par un plat plus consistant.

Ce matin Altenguerrel a décidé de partager avec nous la viande de l'une de ses chèvres. Après l'avoir couché au sol, tout en lui demandant pardon et en la rassurant, il a fait une légère entaille dans la poitrine, puis il a glissé ses doigts dans la graisse insensible et a pincé l'aorte. La chèvre, restée calme du début à la fin, s'est assoupie en douceur sans un cri, sans un bêlement de douleur, comme si elle venait d'être hypnotisée avant le grand voyage.
A côté du foyer central – sacré en Mongolie car il est considéré

comme le lieu de résidence des esprits – on prépare le repas du *naadam*. Les pierres chaudes sont placées dans la marmite où cuisent déjà les pommes de terre et la viande de chèvre. On referme ensuite le couvercle dont on calfeutre le pourtour avec du tissu mouillé. L'inhalation de la vapeur est censée apporter de multiples bienfaits pour la santé, alors la famille ne s'en prive pas... Mais ce n'est pas tout. Les pierres sont récupérées une à une et chacun doit les prendre en mains alors qu'elles sont encore brûlantes, il paraîtrait que c'est bon pour la santé ! Quant aux intestins rincés à l'eau claire, ils sont farcis avec les rognons, le foie et le cœur finement hachés, de la graisse et du sang, le tout assaisonné d'herbes aromatiques, d'ail et d'oignons sauvages. Un vrai régal !

Le soleil se couche, c'est à nouveau l'heure de la traite pendant que petits et grands vont à la recherche du reste du troupeau pour le rapprocher de la yourte.

TINCE
Y
1992

150

Le lendemain matin, Altenguerrel et sa petite famille partent de très bonne heure chez son beau-frère Erden pour préparer tous ensemble le prochain *naadam* qui se déroulera dans le chef-lieu de région, à Tosontsengel. Erden et Altenguerrel apprêtent leurs chevaux de course. Il s'agit qu'ils soient au mieux de leur forme comme de leur apparence pour le grand jour. Erden est considéré comme l'un des meilleurs éleveurs de chevaux de la région et Altenguerrel espère bien profiter de ses conseils.

Plusieurs fois par jour, les jeunes cavaliers montent les chevaux et les font marcher pour les échauffer en prévision du grand *naadam*, tout en chantant pour les rassurer mais aussi pour invoquer les esprits bénéfiques. Ils entretiennent ainsi jour après jour cette farouche détermination à en découdre bientôt avec leurs concurrents. Ce sont Adjaro et Giorgio – dix et onze ans, le fils et le neveu d'Erden – qui auront à monter les chevaux pour les grandes courses du *naadam* régional. Les deux garçons sont tout excités.

Mais les tâches quotidiennes ne peuvent être laissées de côté. Les jeunes garçons doivent nettoyer quotidiennement les enclos où chèvres et moutons sont rassemblés pour la nuit afin de les protéger des attaques des loups. Quant aux fillettes, Sara et Oyuna, elles découpent le fromage *airal* que l'on mettra ensuite à sécher sur le toit de la yourte. Il faut préparer des provisions en suffisance, car il va falloir nourrir nos jeunes compétiteurs et toute la famille qui va les accompagner pour les soutenir lors du *naadam* de Tosontsengel.
Les deux fillettes préfiltrent le lait à travers une toile de jute et le reversent dans de grands seaux. Puis il sera mis à chauffer pendant un petit moment. Pour cela il faut du combustible. Ce sont encore nos jeunes amis, Adjaro et Giorgio, qui se chargent d'aller récupérer un grand sac d'*argul*, les bouses séchées, avec lesquelles on pourra alimenter le feu aussi longtemps que nécessaire. Le bois est rare, très rare dans la steppe. Le nomade ne le gaspille pas. Avec l'*argul*, on n'est jamais à court de combustible.

La lutte mongole, le *bökh*, est, avec les courses de chevaux, la fierté du *naadam*. Le sport entre tous les sports. Comme tous les jeunes garçons du pays, Adjaro et Giorgio s'amusent souvent avec les plus grands à apprendre les postures et les gestes de ces lutteurs prestigieux auxquels les Mongols vouent une admiration sans bornes.

Les enfants, comme toujours, s'occupent des petits animaux, les courte pattes comme on dit ici, chèvres et moutons. Mais ce qui pourrait paraître comme un travail à nos yeux est bien plus pour eux un jeu. Un jeu nécessaire certes, mais dont ils s'acquittent avec une joie de vivre constante.
En fin d'après-midi, il faut songer une fois encore à faire tourner les chevaux. Tous les garçons de la famille s'y collent. En cette période précédant le *naadam*, où que l'on soit, on entend toujours au loin les chants de ces enfants qui font marcher les chevaux et les encouragent en prévision des courses à venir.

Le *naadam*

C'est à Oulan-Bator que se tient chaque année en juillet le plus grand des *naadam* de toute la Mongolie. Le *naadam* trouve ses origines au plus profond de l'histoire mongole. Une histoire qui tient d'abord de la chronique tribale transmise au fil des générations lors des veillées intimes dans la yourte. La fête nationale de la Mongolie succède toujours de quelques jours ou semaines aux *naadam* régionaux ou locaux qui se déroulent à travers le pays de juin à début juillet. Les Mongols convergent de tout le pays vers le stade d'Oulan-Bator. Des plus hauts dignitaires de l'Etat aux habitants des quartiers de yourtes ou des provinces les plus reculées, tous se retrouvent pour assister aux cérémonies et suivre passionnément les trois grandes épreuves reines : la lutte, les courses de chevaux et le tir à l'arc. Ces compétitions rituelles ont été élevées au rang de sports nationaux.

Les plus grands champions de lutte du pays s'affrontent sous les yeux admiratifs des jeunes lutteurs en herbe. Un peu comme les sumos au japon, les meilleurs lutteurs sont élevés au rang de stars nationales en Mongolie. Les compétitions de tir à l'arc se déroulent un peu plus loin. Les archers, femmes et hommes, venus des quatre coins du pays... Cet art précis, aux règles strictes, requiert un port altier, une force naturelle jamais exagérée, jamais feinte et toujours, cette dignité dans le regard, le geste, l'expression du corps. Quant aux courses de chevaux, elles rassemblent les chevaux les plus rapides du pays. Venus des *aimag* et des *sum* les plus proches comme les plus éloignés, chevaux et jeunes cavaliers se défient pendant trois jours sur différentes distances, la plus réputée étant la course des trente kilomètres.

Ce matin sous la yourte d'Erden, dans les steppes du Khövsgöl, la tension et l'impatience sont déjà bien palpables. Chacune et chacun fait sa toilette car toute une partie de cette journée sera consacrée aux prières et au recueillement pour que le *naadam* se passe sous les meilleurs auspices. Le plus jeune fils d'Erden, un jeune garçon de quatre ans, porte les cheveux longs, il est étonnamment coiffé et vêtu comme une petite fille. Une tradition mongole veut que lorsqu'un couple vient d'avoir un premier fils, ou que le premier garçon n'a pas survécu, on essaie de tromper les esprits malins en travestissant l'enfant pour leur faire croire qu'il est du sexe opposé. Ainsi lorsqu'un mauvais esprit visite la yourte, il n'y voit que des filles et les laisse tranquilles. Et toujours pour éloigner de lui les mauvais esprits on attache des grelots aux lacets de ses chaussons.

Pendant la journée qui précède le début des festivités du *naadam*, et dans tous les recoins de Mongolie, on se rend sur les sommets pour invoquer les esprits et y recevoir la bénédiction des moines. Comme Adjaro, Giorgio et leurs familles, les jeunes

cavaliers et leurs parents, les lutteurs et les archers viennent y faire des offrandes. Cette coutume fut interdite entre 1930 et 1990 mais elle réapparaît de nos jours avec le retour en force de l'identité nationale et du sentiment religieux.

Chacun reprend ensuite le chemin de la yourte familiale pour aller continuer de prier et de se recueillir mais, cette fois, autour du foyer central. On y procède aux fumigations. On passe l'encens trois fois autour de la taille des personnes, autour des harnais, des selles et des racloirs à sueur des chevaux qui vont bientôt courir. Altenguerrel et deux musiciens de passage, en route pour le *naadam*, s'exercent au chant *khôômi*. Les chanteurs de *khôômi* – le chant diphonique mongol – puisent leur inspiration dans les bruits de la nature, ceux de la faune sauvage et du bétail. Le chant diphonique permet au chanteur de sortir deux sons en même temps et de les moduler à sa convenance... Avec le *morin khuur* (la vièle cheval), et le *yatag*, cithare horizontale à chevalet mobile, les musiciens offrent aux vents les chants pratiqués de tout temps par les éleveurs nomades. Le lien entre le *khôômi* et les croyances chamanique se manifeste dit-on par la voix des esprits qui s'exprimeraient à travers ces sons étranges qui sortent du plus profond de l'âme du chanteur. Les nomades ont développé une tradition orale riche et toujours en mouvement. Mythes, fables, légendes, proverbes, dictons et poèmes épiques peuplent cette culture de l'oralité ou, à l'image des hommes et de leurs chevaux, les mots nomadisent au gré des vents.

Tuya, l'épouse d'Altenguerrel, renforce les sangles et les lanières, puis, Erden enfile son *del* de cérémonie et, accompagné de son fils aîné, part avec les chevaux rejoindre la petite ville de Tosontsengel..

Premières offrandes aux éléments : Otgul, l'épouse d'Erden, jette religieusement un peu de lait de la première traite vers les quatre points cardinaux, puis les garçons peaufinent les derniers préparatifs. Quant à Orungor et Narmanda, ce sont leur maman et leur grand-mère maternelle qui se chargent de leur faire une beauté pour le grand jour.

Le lendemain matin, sur la place du village de Tosontsengel. La foule arrive, grossit, enfle. Il y a des cavaliers partout, des amis heureux de se retrouver après des semaines ou des mois d'éloignement, des lutteurs qui se préparent ou s'échauffent.

Dès le premier jour, les combats des lutteurs commencent sur la pelouse du petit stade de Tosontsengel. Chaque combat est précédé par la danse de l'aigle. Les premiers tours se succèdent. D'abord les débutants, puis les lutteurs confirmés, et plus tard les champions de *sum* ou d'*aimag*, les meilleurs éliminant peu à peu les plus faibles. Des dizaines de lutteurs vont s'affronter pendant ces trois jours. Chacun dispose de son propre assistant, le *zasuul*, qui surveille les attaques, encourage son protégé et défend ses intérêts en cas de contestation. Le premier lutteur qui touche terre avec un genou, un coude, ou le dos a perdu. Le lutteur qui sortira vainqueur des neuf tours sera déclaré champion du *naadam*.

Les courses de chevaux se déroulent simultanément. Chevaux et cavaliers s'affrontent sur plusieurs distances : deux, quinze, trente kilomètres. Les courses sont organisées par classe d'âge des chevaux. Notre petit Adjaro arrive quatrième de la première course. C'est prometteur pour la suite car le cheval qu'il monte n'est pas le meilleur de son père Erden même si, lorsqu'il était plus jeune, il a remporté quelques courses importantes.

Le soir venu, la steppe retrouve son calme et sa sérénité. Dans ces étendues infinies on entend le vent qui tourne, et l'on devine la nouvelle saison qui s'annonce quand le jaune de la steppe brûlée par les neiges rejoint le bleu du ciel pour virer enfin au vert chatoyant des prairies nouvelles.

Dès les premières heures de l'aube les combats et les courses reprennent. Les étalons puis les chevaux de quatre ans…

Erden a engagé cette fois son meilleur cheval. Adjaro pousse sa monture autant qu'il peut. Il est petit, léger, il sait obtenir le meilleur du cheval qu'il monte sans jamais le brusquer.
Cette fois Adjaro gagne la course la plus importante du *naadam*, celle des chevaux de quatre ans. Une foule d'admirateurs tente de toucher l'animal pour s'imprégner d'un peu de cette sueur bénéfique censée apporter chance et prospérité. Et voici le moment tant attendu où les vainqueurs sont cités et honorés par les notables de la région. L'étalon beige reçoit la médaille d'or du *naadam*. Adjaro, notre jeune cavalier, se voit remettre un diplôme. On lui fait boire un peu d'*airak*, du lait de jument fermenté. Erden est fier de son fils et de ses deux chevaux. Les cadeaux et les récompenses pleuvent.
Il y a même un téléviseur pour le gagnant. C'est un immense honneur pour la famille d'Adjaro et tout particulièrement pour son père Erden.

Mais le *naadam* n'est pas encore terminé... Les deux lutteurs finalistes entrent à présent sur le stade. Les deux hommes

s'empoignent... Ce n'est pas la force qui est utilisée dans la lutte mongole, mais le savoir saisir, le savoir surprendre... Si le combat s'éternise, alors le *zasuul* stimule son poulain en lui assénant une claque sur le derrière.

Laghbasuren a gagné. Il est Arslan, il est Lion ! La foule se bouscule pour récupérer un peu de sa sueur qui est censée, tout comme celle du cheval vainqueur, apporter force et prospérité.

Au centre de Tosontsengel, dans la cabane en bois de grand-mère Maerten, Adjaro est impatient de brancher la télévision toute neuve qu'il vient de recevoir des mains du maire. Ainsi, chaque fois que les enfants séjourneront à Tosontsengel chez leur grand-mère pour les périodes scolaires, ils pourront profiter de cette télévision chinoise gagnée grâce aux efforts et à la volonté d'Erden, de son fils Adjaro mais aussi grâce à leurs chevaux.

Après ces trépidantes journées, Altenguerrel, Erden et leurs enfants, comblés, retrouvent leurs yourtes et leurs troupeaux dans la steppe.
Il est temps pour eux de reprendre le cours de leur vie, les longues chevauchées, de prendre soin des troupeaux : les yacks, les moutons, les chevaux, les museaux chauds, les museaux froids, les pattes courtes…

Pendant ces quelques jours d'absence, un loup a attaqué les chevaux d'Altenguerrel. Le poulain a été sérieusement blessé mais – sans doute protégé par les adultes – il a pu échapper aux crocs du prédateur. Une fois les soins terminés, alors que le soleil finit déjà sa course, Altenguerrel ouvre bien vite les barrières de l'enclos pour rendre à ses chevaux les espaces infinis de la steppe.

Aujourd'hui les steppes infinies de Mongolie sont à vendre ! Depuis l'ouverture du pays au début des années 1990, les prospecteurs affluent pour extraire : or, uranium, cuivre ou charbon. Le gouvernement mongol concède ou vend des terres aux multinationales qui lorgnent sur les richesses de ce petit pays des confins. D'immenses territoires sont désormais clôturés, interdits aux nomades. A cela s'ajoute le réchauffement climatique et ses conséquences avec l'inexorable avancée du désert de Gobi qui s'invite aujourd'hui jusqu'aux portes d'Oulan-Bator.
La raréfaction des zones de pâturages force de plus en plus de familles à converger vers la capitale dans l'espoir d'y trouver une vie meilleure. Malheureusement ils n'y trouvent pas de travail. Les désillusions sont souvent brutales.

Il reste à espérer que les fils du vent puissent continuer aussi longtemps que possible à mêler leurs voix aux souffles de la nature et qu'ils demeurent bien plus qu'un simple souvenir fragilement brodé sur la toile de la mémoire collective.

TSATAAN
Le peuple du renne

Plus on avance vers le nord de la Mongolie et s'approche des frontières de la Russie, plus les *ovo* sont fréquents. L'*ovo* est toujours situé en hauteur, souvent au croisement de deux chemins. Cet amas de pierres et de branches abrite les esprits des ancêtres. Le voyageur doit en faire trois fois le tour et y jeter trois pierres ramassées en chemin. Il peut aussi y accrocher une écharpe de soie bleue en guise

d'offrande. Autrefois, l'esprit des ancêtres était vénéré à la sources des rivières ou au sommet des montagnes. De nos jours, les *ovo* symbolisent le lieu de résidence des esprits et l'axe cosmique, le lien vertical qui unit la terre au ciel.

Nous entrons dans les terres boréales aux limites de la Sibérie. C'est le territoire des peuples du Nord, des Dakhat, des Bouriates et surtout des Tsaatan. Un immense lac aux eaux claires s'étend jusqu'à la frontière russe. Le lac Khövsgöl. Ici le chamanisme à survécu aux aléas d'une histoire mouvementée. Nous y rencontrons l'une des femmes chamanes les plus connue de Mongolie.

« Le chamanisme existe depuis longtemps, nous dit-elle, c'était la seule religion au monde jusqu'à l'époque de Gengis Khan.
Nous sommes fiers de le perpétuer aujourd'hui.
On distingue les esprits doux et les esprits méchants !
Les esprits durs peuvent être appelés par le chaman pour faire mourir une mauvaise personne ou pour séparer des amants.
Par contre les esprits doux se comportent comme des parents et nous donnent toujours de sages conseils. »

Du lac Khövsgöl, nous nous engageons sur les pistes non balisées les plus difficiles et les plus imprévisibles de toute la Mongolie. Les rivières à traverser ne se comptent plus, les pannes non plus... Aux confins de la Mongolie et de la Russie, nous arrivons dans le pays tuva. Tsagaan Nur est un petit village de bois planté à la lisière de la taïga. Ici, les montagnes sont plus hautes, les forêts plus noires et le climat plus rude encore que dans les steppes.

Notre ami Gamba nous conduit chez le chaman le plus connu et le plus respecté de la région. C'est un Dakhat marié à une Tsaatan, un peu chamane elle aussi, et qui l'assiste pendant les séances de possession des esprits. L'homme est affable, accueillant, il nous raconte comment il s'est aperçu dans son enfance, alors qu'il souffrait depuis longtemps d'une maladie que personne ne pouvait identifier, qu'il avait les aptitudes à devenir chaman.

Il nous explique que ses parents l'avaient confié à un maître. Pendant trois fois trois jours, le maître appela les esprits pour qu'ils possèdent l'enfant. Lui-même, à l'époque, n'était pas vraiment conscient de ce qui se passait... et puis un jour, l'esprit l'a possédé et il a acquis les rites.

C'est à la tombée de la nuit, dans le secret d'une yourte dakhat ou d'un tipi tsaatan, que le chaman, toujours assisté d'un fils ou d'une épouse, chausse en silence ses bottes de feutre, et son lourd manteau recouvert d'écharpes offrandes puis qu'il cache son visage sous le *börtö*, cette coiffe étrange surmontée de plumes d'aigle. Le *düunger* – le tambour sacré – lui permet d'appeler les esprits : « Ciel, montagnes, esprits de la nature donnez-moi la force… » Peu à peu, le rythme s'accélère.

Tout à coup, l'homme se cambre. Ses aides doivent le soutenir pour qu'il ne se fasse pas mal. C'est le moment choisi par les esprits pour posséder l'homme et s'exprimer à travers lui. Les esprits humains ou animaux parlent un langage ancien inconnu de l'assistance. Seule l'épouse du chaman est en mesure de comprendre et d'interpréter les paroles des esprits. Pour certains consultants comme ce fut le cas pour notre chauffeur Marla, les révélations sont étonnantes…
Une offrande d'eau-de-vie circule… A certains moments le chaman émet des cris d'animaux, des sifflements d'oiseaux, par exemple le chant si particulier du coucou. Cela marque semble-t-il le moment où un esprit succède à un autre. Cela peut aussi signifier que les esprit libèrent le corps et le restituent à son légitime occupant.
A la fin, les offrandes sont versées sur le foyer, lieu sacré censé abriter les esprits du lieu.

Le chamanisme, mis à mal dès le XVIIe siècle à l'arrivée du bouddhisme, a été pratiquement éradiqué par les bureaucrates de l'ère socialiste. Pourtant il a survécu, entretenu en secret.

Après s'être acquitté des recommandations du chaman, Marla, notre chauffeur, accroche une écharpe de soie bleue sur le traversier brinquebalant qui nous mène sur l'autre rive. Direction les montagnes du pays tsaatan…
A la limite des zones carrossables, nous rejoignons la yourte d'une éleveur de chevaux chez qui cinq fières montures nous attendent. Une pour les vivres et le matériel et les autres pour nos postérieurs.

Encore quelques kilomètres de steppe herbeuse, puis nous atteignons les sentiers de montagne et commençons à progresser à travers la taïga d'altitude. Là où le vieux 4X4 russe ne peut plus rien, les chevaux progressent à pas lents et sûrs. Un jour, deux jours, quatre jours, Et puis la neige, éternelle, celle là que même les clémences de l'été ne parviennent à déloger. Une neige fine, qui brouille le paysage et puis… ce vent qui souffle des chansons de cœurs blessés et de voyages sans retour…

Quatrième nuit à camper... Au petit matin des bruits bizarres nous sortent de notre léthargie. Tout autour de nous, les voici, les rennes de la taïga. Ils ont bien fière allure, on dirait plus une horde sauvage qu'un troupeau d'animaux domestiques. Peut-être sont-ils finalement un peu à l'image des hommes avec lesquels ils partagent leur liberté nomade. Les Tsaatan dépendent à ce point du renne qu'ils se sont en quelque sorte collectivement identifiés à lui. Le renne est le *tsaa*. Ils en sont le *tan*, c'est-à-dire le peuple.

Le campement des Tsaatan n'est qu'à quelques centaines de mètres. Pas plus de quarante familles composeraient cette tribu qui habite dans des *urt*, des tipis ou tentes coniques qui ressemblent en tout point aux tipis des Indiens d'Amérique du Nord. Nous sommes accueillis dans la famille d'un proche ami de Gamba, Erten Baten et son épouse Oyun. Ils ont deux filles, Orunsaya et Orungor.

Comme tous les matins, les femmes rassemblent les rennes avant qu'ils ne s'éparpillent dans les marais et la taïga environnants. C'est le moment de la traite. Le renne a été domestiqué il y a bien longtemps par les ancêtres des Tsaatan. Il leur procure le lait, la viande et la peau dont ils confectionnaient autrefois leurs vêtements. Le renne peut aussi se faire monture ou porter des charges impressionnantes.

En hiver, les Tsaatan s'installent sur les pentes boisées des montagnes. Au printemps, ils redescendent au fond des vallées et dans les plaines où les rennes mettent bas. Les Tsaatan font partie des montagnes. Ils disent que leur tension s'accélère et qu'ils ne parviennent plus à respirer quand ils descendent au fond des plaines. Le renne n'aime que les grands froids, aussi pendant l'été les Tsaatan migrent vers le nord et s'élèvent en altitude pour chercher le froid contrairement aux autres hommes qui recherchent toujours des climats moins rudes.

La vie nomade des Tsaatan, dans les pas du renne, a connu pourtant des interruptions au cours d'une histoire encore récente. Beaucoup ont été contraints à la sédentarité pendant la période communiste alors que la Mongolie vivait sous le joug de l'ancienne Union Soviétique. De nos jours, il ne reste plus que trente-cinq familles à perpétuer la vie nomade, moins de deux cents personnes. Les autres ont accepté de se sédentariser dans le district de Tsagaan Nur ou les districts voisins.

« Jusqu'en 1956, nous dit l'homme le plus ancien du campement, nous les Tsaatan, nous nomadisions tous dans la taïga. Nous n'appartenions à aucun pays. En 1956, le gouvernement mongol a décidé de sédentariser les Tsaatan et de leur donner la nationalité mongole. Ils nous ont rattachés à trois de leurs villages. En 1961, ils sont allés chercher de force les derniers Tsaatan de la taïga et les ont regroupés dans deux camps de relocalisation à Tsagaan Nur et un autre à Oulan-Uul. A cette époque j'avais sept, huit ans, ils ont scolarisé tous les enfants. Ils donnaient des cours d'alphabétisation aux adultes. C'était un grand bouleversement pour nous. »
Sa fille, Altantuya, a fait ses études à Irkoutsk en Russie et pourtant, bien que diplomée, ayant à peu près tout connu de la vie sédentaire, elle a tenu à rejoindre sa tribu dans la taïga pour y élever ses enfants. Il arrive souvent que des Tsaatan partent travailler à Tsagaan Nur où leurs enfants sont scolarisés une partie de l'année, parfois même à Oulan-Bator, mais la plupart du temps ils ne restent que quelques mois voire quelques années, puis attirés par un mystérieux aimant, il reviennent sur les hauteurs embrumées des montagnes du Nord.

Après avoir été poursuivies durant de nombreuses années, une trentaine de familles tsaatan sont reparties dès les années 1990, avec un début de liberté retrouvée, vivre sous des tipis de branches et de peaux de rennes dans la taïga. Ils se déplacent en permanence dans la Mongolie boréale. Même en Mongolie où le nomadisme est une tradition millénaire, les

Tsaatan ont cette image trouble qu'ont chez nous les gens du voyage, une image souvent teintée de mépris et de crainte. Ils sont considérés ici en Mongolie comme les Gitans de la taïga.

C'est vrai qu'ils ont la peau dure les Tsaatan mais ce peuple raffiné et sage se sent en paix dans cet univers, si rude et imprévisible soit-il.
Les journées dans la taïga des Tsaatan s'écoulent ainsi dans une douceur et un calme qui tranchent avec l'âpreté du décor.

Outre l'élevage du renne, les Tsaatan tirent une partie de leur subsistance de la chasse, une tradition ici. Les hommes chassent le renne sauvage, le cerf de montagne, le chevreuil, le renard, les petits animaux à fourrure. Parfois ils croisent le chemin d'un ours, qui reste un animal mythique. Ils se servent de vieux fusil ou d'arcs, et pratiquent également le piégeage avec des techniques ancestrales souvent très élaborées.

Chaque matin et chaque soir les enfants vont récupérer le troupeau dans la taïga pour la traite. Les garçons les plus hardis chevauchent les rennes les plus vigoureux et filent aux quatre points cardinaux. Ils connaissent les habitudes du troupeau et savent en général de quel côté aller le rechercher.

Les enfants tsaatan acquièrent dès leur plus jeune âge les gestes des plus grands. Les petites filles vont chercher de l'eau au ruisseau. Elles font le feu, préparent le repas ou nettoient le tipi pendant que les adultes s'occupent du troupeau. Si le nouveau-né supporte les moins trente ou moins quarante degrés de l'hiver, s'il parvient à faire ses premiers pas sur la neige, s'il est aussi agile à dos de renne que sur le sol humide de la taïga, alors il deviendra un Tsaatan.

A l'abri de notre tipi, Altantuya nous parle de l'importance du chamanisme pour les Tsaatan : « Nous, les gens de la taïga, nous croyons au chamanisme depuis toujours et ça va continuer comme cela. Depuis quelques années, des étrangers, des chrétiens évangélistes, viennent souvent jusqu'ici pour nous convertir coûte que coûte à leurs croyances. Nous respectons leur religion, mais ils ne sont pas obligés de toujours chercher à nous influencer comme ils le font ! Les derniers sont venus de Corée. Ils nous ont apporté de grosses antennes paraboliques, des batteries, des panneaux solaires et des télévisions pour que nous puissions regarder leurs émissions religieuses. Mais qu'est ce que l'on va faire avec tout cela quand il va falloir déplacer le campement ? C'est bien trop lourd ! Alors, quand ils sont là on les laisse parler. Pour nous c'est une journée agréable, on passe un bon moment mais cela doit s'arrêter là ! »

Si rien n'est entrepris, les Tsaatan ne seront plus bientôt qu'un souvenir dans la mémoire collective. Il reste à espérer qu'en ces temps sourds à la musique des rêves, l'humanisme puisse encore sauver une parcelle de l'arc-en-ciel.

WOODABE

Aux marges du désert

Aussi loin que porte le regard, la steppe souligne l'horizon, infinie, immense et brûlante. Kabo s'est accroupi, vaguement à l'ombre d'un maigre acacia décharné. Du sommet de cette petite colline, il domine la vallée qui abrite cette année de vastes pâturages, et du cram-cram, une graminée épineuse à perte de vue. Il guette son fils Koïné qui mène les zébus ; ils sont loin et des envolées de poussière signalent le troupeau. Kabo n'entend que le sifflement du vent et, derrière lui, le piétinement des brebis conduites par un neveu – le fils de son frère aîné Doula –, mais il imagine son garçon chantant à tue-tête la beauté de ses vaches. Il l'observe, huchant ses bêtes afin, tout-à-l'heure de les pousser vers le puits d'El Hadj Daoué, un éleveur touareg de leurs amis. Kabo ôte son long voile de coton pour laisser l'harmattan fouetter son visage, il scrute le paysage, les sentes éparses qui cartographient la brousse, les coulées du bétail qui toutes vont rejoindre le point d'eau. Il se redresse, s'appuie sur son lourd bâton de pâtre ; là-bas, au loin, il en est certain son fils le regarde aussi, l'a vu, fier de cette connivence distante qui, chez les Peuls, unit l'adulte à l'enfant. C'est Koïné qui a choisi très jeune de guider les bovins. Tout petit déjà, il bravait le danger et déjouait la surveillance des vieilles femmes pour s'insinuer au cœur des manades familiales ! Et aujourd'hui, à l'aube de l'adolescence, il supplée son père et marche en tête du troupeau le plus cher aux yeux des bergers wodaabe, celui des zébus aux longues cornes.

Kabo a contourné la vallée afin de vérifier la qualité d'autres prairies. La sécheresse qui sévit dans l'Est du pays, vers la frontière du Tchad, risque tôt ou tard de pousser par ici de nombreux éleveurs, alors il faut assurer ses arrières, tant bien que mal imaginer une porte de sortie. Autour de Bermo, dans la région de Dakoro, les pluies ont permis de beaux pacages, encore fournis, mais d'ici quelques semaines… le pire est à prévoir.

L'air est sec, par moment – en fonction des bourrasques – brûlant. La saison chaude est une période pénible et risquée pour les animaux, c'est la soudure ; l'intersaison crainte par tous les Sahéliens, pasteurs ou agriculteurs sédentaires. L'instant où l'on fouille les termitières pour disputer les derniers

grains aux insectes, où l'on bout et rebout en les assaisonnant des feuilles amères pour tenter de repaître les ventres affamés.

Koïné va nu-pieds, se moquant des épines. Son bâton coincé par-dessus ses épaules il surveille les vaches, d'un claquement de langue les replace sur le bon chemin, les éloigne des greniers à grain des paysans haoussa. Et il chante à en perdre haleine la grâce de Diana, la bigrement cornue qui mène le troupeau. Le berger aime cette vie âpre et libre, ces espaces sans limite qu'il apprend à connaître, ces buissons et ces arbres, amers futiles capables d'abriter et de guider celui qui « tresse la paille », celui qui marche sur la carapace

du monde. A ses chants les bêtes répondent par des beuglements puissants, et marchant à l'abri d'un mont pelé Kabo les perçoit et sourit en retour. L'enfant a chaud, pourtant, et soif sûrement, mais il interpelle les zébus, par leur nom, il hurle leurs qualités et la noblesse de leur robe. Koïné déteste la ville, bon en réalité il ne la connaît pas, la ville, mais il sait, lui, qu'il préfère la steppe.

A faible distance du puits, Kabo a rejoint le plus âgé de ses frères, Doria. Ils avancent côte à côte, sans un mot. Seul le crissement de leurs sandales sur le sol craquelé et rugueux rythme leur cadence, rapide. Les Wodaabe marchent vite et, fiers, ils entaillent le paysage de leurs enjambées aériennes. La poulie grince, le son aigu et couinant s'entend à des kilomètres. A la saison chaude l'abreuvement s'étale sur la journée et la nuit, le temps pour l'eau d'affleurer à nouveau au fond du puits, à une quarantaine de mètres. Ce forage a été creusé par des puisatiers villageois, un dur labeur, de plusieurs mois. Alhassane, le sourcier le plus célèbre et fiable du secteur, en avait supervisé les travaux. Le jour du choix définitif de l'emplacement, il était venu avec une couverture et avait demandé aux Peuls une chèvre bicolore. Il avait béni la bête avant de la coucher sous l'étoffe de coton rêche. Et l'animal s'était endormi, bon signe révélateur d'eau à une profondeur acceptable.

Une seule fourche enjambe la bouche du puits et supporte la poulie de bois. Les nomades se relaient et s'entraident. Les plus âgés ou les femmes ne puisent pas, les jeunes sont à la manœuvre. Kabo a déjà retroussé son pantalon et enlevé sa tunique et il aide Boka, un riche berger respecté de leur clan. La corde en fibre de baobab ou de mauvais nylon écorche les paumes cornées des hommes ; ils ahanent sous l'effort, noyés de sueur, accablés de soleil et de poussière, et un cri de joie ponctue la sortie de la lourde puisette de cuir qu'il faut transporter vers l'abreuvoir de tôle. Le troupeau est maintenu à distance, de la voix et de la badine, puis il entoure le bassin et les cornes s'entrechoquent. Au bras des éleveurs une amulette de cuir élimé préserve des accidents, le risque d'être encorné ou plus encore d'être précipité dans le puits lors d'une rupture de corde est réel.

Pour Koïné le brouhaha du point d'eau est une délivrance. Il stoppe son bétail à bonne distance et attend le signal des siens pour approcher et puiser à son tour. Il a vraiment soif mais pour rien au monde il ne laisserait ses vaches sans surveillance à quelques encablures de l'eau. Ses bêtes l'observent, assoiffées elles aussi, mais calmes, dans l'attente d'un signe du garçon. L'enfant se tient debout, enturbanné à la hâte, adossé à son gourdin, et d'une main il caresse la vache la plus proche, tout en sifflotant. Au bout d'un temps interminable, son oncle Doria lève le bras, et d'un seul mouvement les zébus pivotent leur lourde tête vers le jeune berger. Koïné roucoule un ordre et le troupeau lui emboîte le pas.

Kabo et Doria puisent avec vigueur. Koïné a donné sa chicotte à une cousine qui maintient le bétail à sa place, autour d'un abreuvoir. Le pâtre conduit l'âne qui aide à tirer l'eau du puits ; l'effort est intense, le baudet soulage le travail des éleveurs, s'arcboute, et au signal, au cri perçant de Kabo,

stoppe enfin et donne du mou à la corde. Après plusieurs va-et-vient les vaches repues s'ébrouent, voltent, en redemandent, boivent encore, puis s'éloignent. Koïné s'approche alors du bassin, s'asperge et se désaltère, en douce, comme si de rien n'était, comme s'il n'avait pas eu si terriblement soif.
La retenue dirige la vie des Wodaabe. Le berger redoute de perdre la face en public, alors son comportement tout entier vise à l'exemplarité. Montrer sa soif, ne pas cacher sa faim, manger goulûment, parler fort en présence d'étrangers ou d'anciens sont des attitudes contraires à celles prônées par la coutume stricte des Peuls. Les nomades mènent une vie spartiate, les vachers arpentent la brousse discrètement, sans se faire remarquer, sans laisser de trace. Les Wodaabe sont « longs », élancés, pas maigres mais fins, et résistants, capables de fouler une terre désolée durant des heures, des jours, à la recherche d'herbe pour leurs troupeaux. Discrets mais craints car eux seuls connaissent cette savane qu'ils sillonnent sans cesse ; ils en portent les secrets et leur magie est respectée. Ils vont couverts de gris-gris efficaces, contre les coups de corne, contre le fer, les balles, le mauvais œil. Et si d'aventure un différend éclate au sujet d'une jeune femme ou d'un bœuf, mieux vaut ne pas avoir à affronter la colère d'un berger qui manie le sabre ou le bâton comme personne...
Gassi, la mère de Kabo, vit avec ses trois fils. Les filles, après leur mariage, rejoignent le campement de leur époux. Le vieux père est décédé il y a peu, malade et fatigué mais fier de son âge et heureux de partir en brousse, d'y être enterré, de retourner à la terre qu'il a tant aimé fouler. Le mort est inhumé rapidement, dans les heures qui suivent la disparition. Et immédiatement la famille déménage, quitte l'endroit pour ne plus jamais y revenir. Dorénavant, l'on transhumera au large de cet espace chargé de souvenirs funestes.
La journée d'exhaure a été pénible, la chaleur accablante. Le son sourd des pilons dans les mortiers signale le bivouac aux bergers de retour. Koïné presse le pas, il est seul. Son père guide les bêtes avec Doria. L'enfant marque un arrêt sur la crête qui surplombe le camp : il voit sa mère affairée, sa grand-mère et ses tantes, il entend les veaux et les agneaux pleurer, impatients de retrouver le pis de leurs mères. Finalement il rejoint sa hutte d'un bon pas, détache les broutards qui galopent vers le troupeau désormais en vue, et s'assoit devant la calebasse de bouillie qu'Ounie a déposée. Dissimulé par la toile qui recouvre l'abri, il déguste doucement les louches aigres qui revigorent son corps fourbu.
Doria, Doula et Kabo ont rejoint les bivouacs : un lit de rondins légèrement surélevé, une armature de branches qui supporte éventuellement une bâche, une table haute pour éloigner les calebasses des rongeurs et des insectes. Et au soleil rasant du crépuscule, ils déposent leur théière sur les braises. Chacun à leur manière les hommes préparent le thé, tour à tour puissant ou apaisant breuvage typique du désert, depuis des lustres. Kabo transvase consciencieusement ses verres, Doula cause avec sa femme, Doria cajole son nouveau-né.
La nuit installée et les travaux domestiques achevés, les troupeaux rassemblés non loin, la fratrie, les épouses et les enfants se réunissent autour du feu et des braseros sur lesquels fume

une dernière décoction. Malgré sa jeunesse, c'est Kabo qui le premier a évoqué leurs soucis. Des familles commencent à arriver de l'est et bientôt se posera le problème de l'espace

à partager entre les nomades qui convergent vers cette dernière zone de pacage. Alors il faudra trouver une solution, une issue à l'impasse. A l'ouest vers la frontière malienne l'insécurité règne et l'herbe est peu abondante, au nord le territoire des Touaregs est mal arrosé, à éviter donc, et le Sud, du fait des champs qui empiètent sur les parcours des éleveurs, est un nid de conflits entre les nomades et les paysans. Récemment encore, Kabo s'est heurté à un villageois évidemment sûr de son bon droit, le jour où des zébus distraitement surveillés par son fils avaient dévoré quelques tiges de mil mal remisées ! Et l'amende fut lourde. Mais les champs pièges – aires cultivées dispersées au cœur du secteur nomade – ou les greniers à mil mal protégés attisent le courroux des bergers et condamnent à une surveillance renforcée. Même si la complémentarité économique interzones est réelle, l'échange de services entre agriculteurs et pasteurs manifeste, le paysan se méfie du berger toujours en route et l'éleveur raille le cultivateur si jaloux d'un univers sans surprise, fade et emmuré.

Doria est l'aîné. Il lui revient depuis le décès de leur père Ana de proposer des solutions généralement suivies, même si les bergers wodaabe restent libres de leurs choix. En fonction des besoins ils iront donc clandestinement jusqu'au cœur de la réserve de faune la plus proche afin d'y dérober quelques ballots de foin. Kabo y fera de nombreuses navettes : de nuit, quand la lune est cachée, il se faufile avec son dromadaire et des ânes pour rentrer à l'aube, ses bêtes lourdement chargées d'un fourrage salvateur. Oui c'est interdit, les pasteurs le savent, mais comment sauver leur cheptel sans braver la loi ? Certains forestiers se montrent tolérants, compréhensifs et ferment les yeux ou évitent des patrouilles assidues ; d'autres profitent du désarroi des éleveurs pour accentuer les poursuites et les amendes, décider de la prison pour ceux qui n'auraient pas les moyens de monnayer leur liberté. Et cette débrouillardise permet à bien des familles de sauver en partie le bétail qui les fait vivre.

Ce matin la sensation de fraîcheur est nette, bien réelle. La pluie probablement est tombée quelque part. La vieille Gassi l'affirme dès l'aurore, l'hivernage, la saison pluvieuse est en avance ! Dès juin les premières tornades peuvent annoncer les précipitations tant attendues. Vers le sud des nuages noirs roulent sur l'horizon et des éclairs zèbrent un ciel sombre. Dans quelques jours peut-être les premières pluies autoriseront un peu d'espoir. Pour l'heure, Kabo et Doula mènent

leurs chameaux au trot afin de rallier assez tôt le marché de Tamaya, sur l'axe goudronné qui relie Tahoua et Agadez. Les nomades quittent l'isolement de la steppe en cas de nécessité et ils s'approvisionnent dans les foires villageoises : les frères doivent acheter des pains de sel gemme pour renforcer la santé de leurs bêtes à la veille de la nouvelle saison, du thé et du sucre, cent kilos de mil et d'autres bricoles pour leurs épouses. Kabo doit aussi trouver des chaussures en caoutchouc, orange si possible, pour sa femme, et Doula a promis à son fils un turban neuf.

La zone est peu sûre depuis la présence des salafistes d'al-Qaida au Maghreb islamique et les récurrentes rébellions touarègues, et le retour s'effectue de nuit à marche forcée pour éviter toute mauvaise rencontre. La lune est pâle et encadrée par des volutes mouvantes, mais le pas des camelins est

alerte et les deux hommes ne lambinent pas, tout juste vont-ils stopper au milieu de la nuit, pour ménager leurs montures et siroter un thé infusé à la va-vite ; la prudence n'autorise surtout pas un feu vif ! Les lueurs violettes et mauves du jour qui pointe les surprennent à quelques encablures du camp, alors ils relâchent la bride de leurs coursiers et vont l'amble, ils sont arrivés. Des vaches mugissent à leur approche, ce qui provoque un concert matutinal avec hennissements nerveux et braiments effrayants.
Ils informent Doria de la densité des campements et de la terre pelée qui ne supporte plus autant de bétail ; la pluie est dans toutes les conversations et les supputations vont bon train autour des calebasses de bouillie augmentées ce matin d'un plat de mil. Sans oublier un thé vert brûlant dont les hommes se délectent bruyamment. Les plus âgés des enfants sont partis avec les troupeaux, et la journée est bien entamée quand Kabo emprunte le layon qui mène au puits.
Avec les nouveaux venus, le forage est encombré et l'eau manque, l'on parle de n'abreuver les bêtes que tous les trois jours, sauf pour les chevaux qui ne supporteraient pas un tel régime. Des hommes se relaient, descendent au fond du trou afin de creuser, désensabler, de tenter de gagner en profondeur et en eau. Kabo et Doula vont travailler là une partie de la journée. El Hadj Daoué, le propriétaire de l'endroit, a sacrifié une chèvre et la viande grillée circule. Malgré l'inquiétude, l'ambiance est bon enfant ; c'est le principal, conclura Doria à la veillée. En général, les utilisateurs du puits défrayent d'un animal ou d'une somme d'argent le maître des lieux, mais l'éleveur touareg a dispensé de cotisation la majorité des transhumants qui arrive exsangue de l'est du Niger. Toute la nuit les éclairs illuminent les parapets méridionaux du territoire.
Le vent s'est levé avec force avant la percée du jour. Et le tonnerre maintenant accompagne les vives lueurs qui éclaboussent le ciel. Koïné n'a laissé à personne le soin d'allumer un feu à proximité des vaches et toutes se serrent au plus près de l'enfant et du brasier. La légende, que l'oncle Kao a maintes fois contée au garçon, situe l'origine des zébus au fond d'une mare, et c'est un Peul tenace qui en entretenant un foyer chaque soir aurait décidé les bêtes à le rejoindre… Depuis ces temps, bovins et éleveurs wodaabe sont liés dans un même destin. Pour l'heure le vent redouble et les femmes aidées des enfants les plus costaux arriment les bannes sur les frêles armatures qui protègent les bivouacs. Doria aide Doula et son fils à calmer les petits ruminants. Les rafales redoublent avec l'aurore et les premières gouttes martèlent les épaules des nomades. Les hurlements du vent couvrent les injonctions des bergers ; des jeunes bêtes paniquent et s'enfuient mais

heureusement le gros des troupeaux obtempère et les zébus, imperturbables, le mufle dans les braises, enserrent Koïné et son père.
Avec la pluie s'installe une vive fraîcheur ; les températures qui dégringolent et l'averse frigorifient le petit monde de la brousse. Le sable se gorge d'eau, des flaques puis des bassins se forment. Des oiseaux piaillent et les coassements des batraciens surgissent de nulle part et offrent un concert inimaginable auparavant. Les heures passent, l'orage a finalement éteint tous les feux et les hommes encerclent de leurs va-et-vient imperturbables le précieux cheptel. Goumar, l'enfant de Doula qui surveille les chèvres, et Alti, la fille aînée de Doria, sont à la recherche des quelques animaux égarés, paniqués par la tempête. Cette fois-ci les pertes seront faibles, les tornades diurnes sont souvent plus dévastatrices car elles surprennent troupeaux et bergers au cœur des pacages... Et les soudaines inondations peuvent décimer des troupeaux entiers !
La journée est pâle, le ciel fade, mais l'espoir des prairies futures réchauffe et donne de l'allant. Les enfants nus jouent sur les berges des mares et les bêtes pataugent avec bonheur.
Doria attendait probablement un signal du ciel car ce matin toute sa famille lève le camp et prestement prend la direction du nord. Les bergers conduisent les animaux et partent les premiers ; les femmes, des enfants et Kabo resté auprès de sa jeune et jolie épouse plient les modestes bivouacs. Le lit de rondins, les arcs qui supportent les toiles et quelques piquets, les calebasses et autres récipients, les marmites, les couvertures, tous les effets sont arrimés sur le dos des ânes bâtés et des dromadaires. La famille possède encore un bœuf porteur qui transporte les bagages de Gassi, la matriarche du groupe. La vieille juche fièrement l'une de ses petites-filles sur le dos du zébu qui dodeline de la tête et des cornes dans l'attente du signal. Certaines ânesses gigotent, impatientes, et les ballots glissent à terre. Il faut recommencer et mieux vérifier l'arrimage des charges qui doivent s'équilibrer sur le dos des bêtes. Pour terminer l'on confie aux jeunes enfants qui voyagent à califourchon les chevreaux et les agneaux encore frêles. Kabo installe sur ses épaules, les pattes bien en main, une brebis épuisée par la disette des dernières semaines.
Le convoi s'ébranle et suit la trace des troupeaux partis bien avant eux. Il faudra s'arrêter plusieurs fois pour resserrer certains liens et assurer quelques charges trop brinquebalantes. La migration traverse monts et vallons une partie du jour pour atteindre un large piémont à l'embouchure de plusieurs oueds. Doria les y attendait pour leur indiquer l'étroite vallée

à embouquer avant le crépuscule. Une heure plus tard, la troupe descend des flancs d'une jolie colline pour stopper à l'orée d'une petite forêt d'acacias bordée de calotropis torturés. Chaque famille choisit un bel emplacement selon une spatialisation établie depuis la nuit des temps. Gassi s'installe légèrement en avant de ses trois fils qui se fixent sur une même ligne, la corde pour les veaux est impérativement tendue du nord vers le sud. Le domaine des femmes – l'intimité du camp – est à l'est ; vers l'ouest un arbre signale le point réservé aux visiteurs ; les hommes qui approchent des maisonnées arrivent par le nord ou l'occident, les dames sont chez elles au levant et au sud. Cette gestion de l'espace autorise une vie familiale sereine au cœur d'un campement ouvert à tous les vents. La cartographie connue de tous évite les rencontres incongrues, chacun sait comment fréquenter les bivouacs sans déranger inopinément ! Tôt le matin, les frères préparent le thé à l'ouest des familles, ainsi le nomade de passage n'hésite pas à s'arrêter et à rejoindre le cercle des bergers. Ce qui n'empêche nullement les épouses de venir causer, mais les distances de la bienséance sont respectées. Son nouveau repaire organisé, la méticuleuse Ounie balaie les alentours, le lit et la table pour les ustensiles sont posés sur un sol ratissé et des sentiers dégagés des graminées envahissantes relient les gîtes des frères. Ce soir les moustiquaires seront tendues et l'atmosphère moite ; avec l'hivernage le vrombissement des anophèles, vecteurs de malaria, est un calvaire et la chaleur alliée à la relative humidité réveille la brousse. Scorpions et serpents quittent leurs caches pour s'égailler à la nuit et chaque sortie réclame une certaine prudence.

Après quelques semaines le paysage est verdoyant, l'année est exceptionnelle – aux périodes de vaches maigres succèdent les vaches grasses – et les prairies ondoient sous le vent vif de cette saison tant appréciée. Les forages sont oubliés pour quelques mois, remplacés par les étangs temporaires ou les marigots saumâtres. Les jeunes filles remplissent les outres de cette eau brune et âcre qui parfois vrille les intestins fragiles. Les troupeaux pâturent au sein des mêmes espaces alors la vie communautaire s'organise, l'isolement tout à la fois apprécié et honni tant il peut peser fait place aux alignements des bivouacs et aux causeries interminables. Le lait abonde avec la verdure, les cours du mil baissent avec les premières récoltes des épis précoces, le petit-lait résonne dans les courges à col, barattes traditionnelles que les femmes secouent d'une main en vaquant souvent à d'autres occupations.

L'oncle Kao, Boka et Diopdy, des conseillers du lignage, les cousins Dioury et Bêly, et bien d'autres familles se rapprochent

à la faveur des mares et en vue de l'organisation du *worso*, rencontre annuelle des clans qui célèbre les nouveau-nés et autorise la conversation entre familles isolées l'année durant aux confins du pays. Lors de la dernière édition un organisateur a été nommé et l'homme parcourt le territoire pour préparer au mieux l'événement, réaffirmer les invitations et définir le lieu des agapes. L'eau et la pâture sont indispensables à ces réunions qui drainent un monde considérable. Fin septembre, au crépuscule de la saison pluvieuse, les derniers préparatifs annoncent un festival réussi et bientôt d'altiers bergers vont traverser la steppe, converger vers le point de ralliement désigné par le clan des Kabawa.
Les familles du groupe invitant s'installent avec leurs maisonnées, au complet, et les troupeaux stationnés à l'entour fourniront le lait et les quelques têtes sacrifiées le premier jour. Un taureau au moins est abattu ainsi que des moutons gras ; matin et soir, des files de demoiselles portent en équilibre sur leur tête les calebasses de bouillie à même de rassasier les convives. Les invités des clans et des autres lignages arrivent en général le deuxième jour, haut perchés sur leurs chameaux ou entassés dans des tout-terrains poussifs. Les nouveaux venus campent sous des arbustes, s'improvisent de l'ombre avec quelques bannes de cuir ou de plastique, et le soir les feux piquettent le paysage chamboulé et soudainement bruyant de la brousse. Le bonheur des retrouvailles est palpable, les anciens devisent gravement après de longues, d'interminables salutations, tandis que les jeunes rient et lancent leurs bêtes au grand galop en vue de la course organisée avant la fin des cérémonies. Si quelques chants ont déjà résonné, c'est avec l'arrivé des hôtes que les joutes commencent.
Les filles demeurent entre elles, elles sont venues avec leurs frères, oncles, amis, parfois à califourchon sur la croupe d'un dromadaire, et elles goûtent avec ravissement à ces temps d'insouciance, quand elles ne donnent pas un coup de main à leurs sœurs qui les accueillent. L'ambiance est bon enfant mais les animateurs du *worso* ne chôment pas, ils vont de groupes en rassemblements improvisés, s'assurant que rien ne manque et le cas échéant crient un ordre bref pour satisfaire au mieux le moindre souhait ; il en va de la réputation des familles. Les jeunes hommes assis, vaguement à l'ombre si cela est envisageable, adossés à leur selle d'apparat, s'apprêtent en vue des premières danses imposantes du crépuscule. Ils se maquillent ! Chez les Wodaabe, isolats nomades issus de la grande famille peule répartie de la Centrafrique au Sénégal, les femmes sont belles mais ce sont les hommes

qui se fardent. Les bergers accordent une grande importance à l'apparence physique, et ce travestissement périodique consiste à accentuer les caractéristiques peules : le front haut, le nez étroit, le fond de l'œil et les dents d'un blanc éclatant, et des mèches postiches rehaussées de clinquants soulignent la finesse de la taille. Le vacher doit être filiforme, beau et résistant. Des heures durant, entre les théières et les éclats de rire, les œillades des belles en goguette, les hommes peaufinent leur masque et ajustent leur tenue. Une trace noire ou blanche descend du front au menton, les pommettes sont colorées d'ocre ou de jaune avec quelques pois au sommet des joues, les lèvres sont teintées de noir pour mettre en valeur la dentition liliale, une plume d'autruche, blanche ou noire, termine la coiffe, un turban savamment enroulé serré. Une tunique brodée est portée à même la peau, un pagne ceint la taille, plus rarement de nos jours une culotte de cuir, peau de vache qui il y a encore trente ans habillait la majorité des éleveurs. Dans le dernier verre de thé, celui qui précède l'épreuve, quelques graines ou écorces vont dilater les pupilles et augmenter encore l'endurance des éphèbes qui chanteront jusqu'au bout de la nuit.

A la chute du jour, les hommes s'alignent et leurs visages grimés scintillent dans les lueurs vives du couchant. Les mimiques parfois grotesques accentuent le maquillage, les yeux roulent sous les plumes dressées ou les chapeaux coniques portés par certains. La danse ordonnée du *yaake* enchante l'assemblée. Une mélopée lancinante envahit la savane, les pâtres s'exhibent, soufflent bruyamment, et au loin des vaches meuglent plaintivement, abasourdies par les chœurs inhabituels qui emplissent l'espace nimbé de poussière âcre.

Les anciens surveillent le bon déroulement et surtout le bel accoutrement et la qualité, la précision du grimage. Celui qui ne respecte pas les codes est écarté : gare aux gringalets et aux garnements grossièrement fardés ! Les spectateurs observent, les enfants sont fascinés, les femmes n'ont d'yeux que pour les plus jolis hommes, au teint clair, à l'habit impeccable. La nuit tombe d'un coup ou presque sous les tropiques. Un instant de répit est accordé aux artistes. Les femmes des Kabawa entament le défilé des jattes de lait. Altières, cambrées, elles slaloment entre les foyers, attentives aux œillades des courtisans, aux remerciements sincères des hommes âgés.

Mais déjà un attroupement se forme au sud du rassemblement. Les participants à la danse *ruumi* forment un cercle autour du coryphée. Le maître de chant lance la phrase qui sonne bien ; elle sera reprise et amplifiée par le groupe. Et dans les clappements des mains le cercle tourne, s'ovalise, des bergers en sortent, d'autres le rejoignent. Et les filles qui vont par deux recherchent leur prince pour une courte escapade...

La dernière nuit, à la faveur de la lune – pleine et ronde elle illumine le pays peul –, les hommes plus âgés s'adressent aux participants, aux bergers fatigués d'avoir trop dansé, aux jouvencelles émerveillées, à tout le peuple des Wodaabe. Et les vieillards réitèrent remerciements et recommandations : ils exhortent les jeunes gens à emprunter la voie peule, la route juste, celle de la retenue et des coutumes, celle qui pousse le vacher à marcher toujours à la tête de ses zébus aux longues cornes, à sans relâche « tresser la paille », marquer la steppe de son empreinte furtive.

Au matin, tous les invités s'éloignent à grandes enjambées, avec en point de mire leur camp tout au bout de l'horizon, aux limites de l'écoumène ; les organisateurs plient bagage, se séparent dans la promesse des retrouvailles, à l'hivernage prochain, si tout va bien.

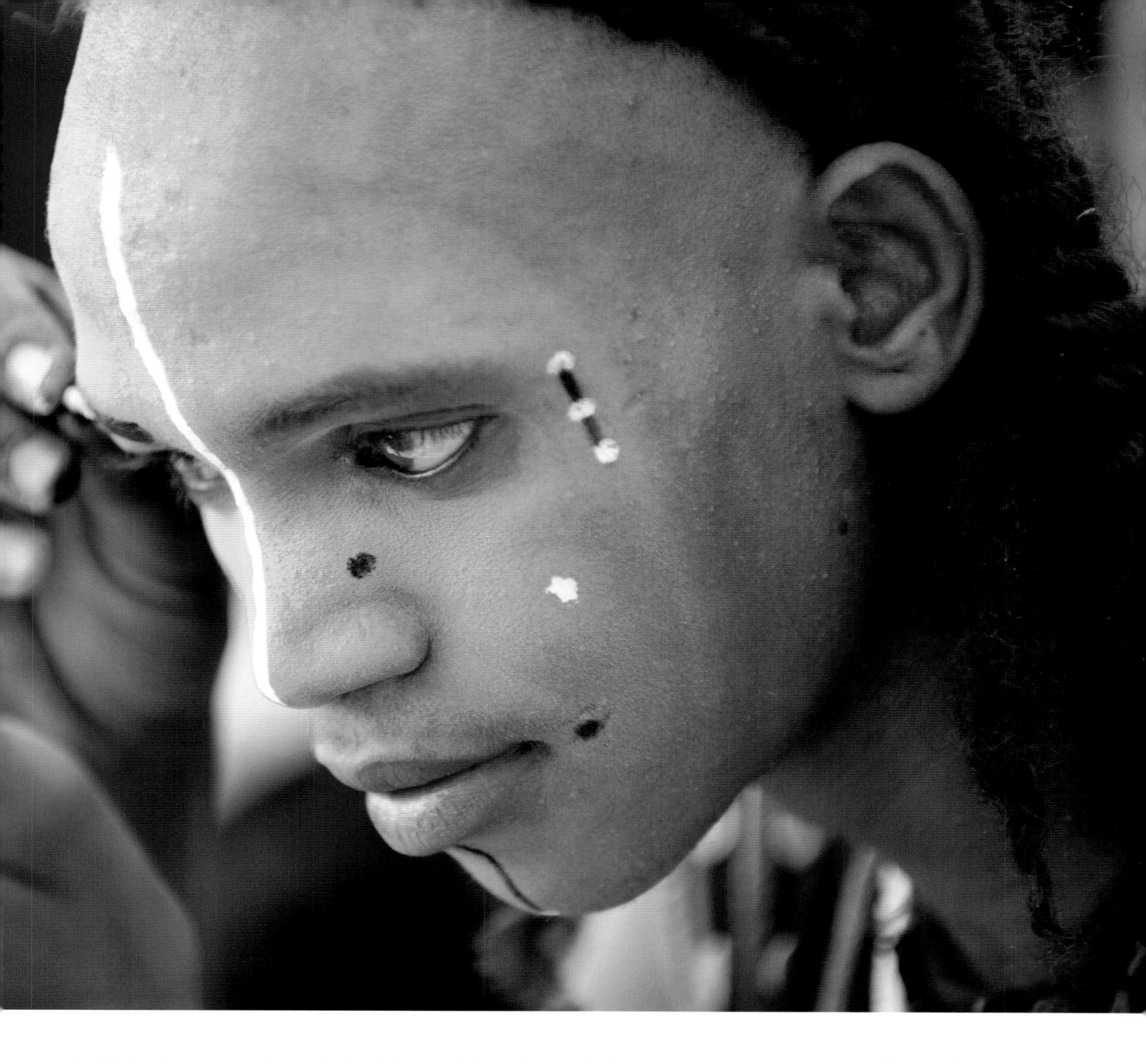

Les Wodaabe occupent les confins invisibles, peu fréquentés de la steppe. Et la savane est riche de leur présence. Vide elle n'aurait pas le même attrait. Souvent introuvables, les nomades sont pourtant quelque part, et cette éventuelle rencontre appartient au domaine des possibles, alors le voyageur aime la brousse parce que des familles entières et des bêtes aussi vivent en son sein protecteur. Néanmoins, acculés par un climat de plus en plus perfide, bornés par un espace grignoté, les nomades peinent à renouveler leurs pratiques, à varier les coups sur l'échiquier rugueux des terres subsahariennes. Leur sens inné de l'adaptation atteint ses limites, et malgré les remuages sempiternels, l'acceptation d'une vie spartiate, la question de la pérennité de l'élevage extensif se pose pour certains bergers qui au gré des sécheresses échouent aux portes des villes.

Mais les plus audacieux, les pasteurs acharnés, les amoureux fous des horizons infinis foulent encore les marges reculées du pays steppique, du théâtre naturel qui depuis le néolithique voit des vachers élancés conduire des zébus à l'encornure majestueuse.

Pour Kabo et les siens, le temps de s'arrêter n'est pas venu.

Jean-Pierre Valentin

HAMER

Rites de passage dans la vallée de l'Omo

Pasteurs semi-nomades, les peuples de la basse vallée de l'Omo vivent dans l'une des régions les plus arides de la savane méridionale du Sud-Ouest éthiopien. Seuls des termitières de plusieurs mètres de haut, les acacias, les *Adenium obesum*, aux fleurs roses et rouges et la broussaille brisent la ligne d'horizon. La chaleur est étouffante dans cette contrée perdue, loin de toute capitale, avec des températures grimpant jusqu'à 40 et 50 °C. Les saisons des pluies alternent avec les saisons sèches. L'eau est si rare qu'elle est considérée ici comme un don du ciel.

Nous sommes en Ethiopie, dans la vallée de l'Omo. Dans le Sud du pays, tout près des frontières du Soudan et du Kenya. Dans cette contrée vivent de fascinantes ethnies fières de leur identité que depuis quelques années le tourisme et les grandes compagnies transnationales viennent corrompre petit à petit : les Mursi et les Surma, dont les femmes arborent d'impressionnants plateaux labiaux, les Tsamay, les Borena, les Nyangatom, les Karo, les Hamer... La vallée de l'Omo abrite au total deux cent mille personnes.

J'ai séjourné pendant quelques mois aux côtés des Mursi, des Nyangatom et des Hamer, c'était en... 1984. J'y suis revenu avec Ken Ung en janvier 2013.

C'est généralement aux lendemains d'une bonne saison des pluies que les anciens décident d'organiser les rites de passage, l'*ukuli* des Hamer ou le *donga* des Mursi.

Avec ses nombreux sous-groupes, l'ethnie hamer représente à elle seule près de quarante trois mille personnes.

Un nombre de plus en plus important de jeunes Hamer partent étudier dans les petites villes de la région dans l'espoir de devenir guides touristiques ou de trouver un travail à Addis-Abeba ou à Arba Minch.

C'est un de ces jeunes Hamer, Bodo, un grand gaillard de près de deux mètres, au charme ravageur, qui nous emmène à la rencontre de son peuple, de ses traditions et nous fait découvrir l'impressionnant rite de passage de l'*ukuli*, appelé aussi b*ull jump*, le saut du buffle, que chaque jeune Hamer doit affronter s'il veut espérer se marier et fonder une famille. S'il est fier de sa culture et de son identité, Bodo, qui a côtoyé missionnaires et touristes du fait de la proximité de son village avec la petite ville de Tourmi, a pourtant fait le choix de partir vers d'autres horizons. Il est allé à Addis-Abeba pour entreprendre des études universitaires et rêve de pouvoir un jour rejoindre l'une de ses petites amies aux Etats-Unis, en Espagne ou ailleurs. Ces prétendantes jeunes ou moins jeunes, venues en touristes dans la vallée de l'Omo, lui envoient chaque mois de petites sommes qui lui permettent de vivre dans la capitale et de financer ses études.

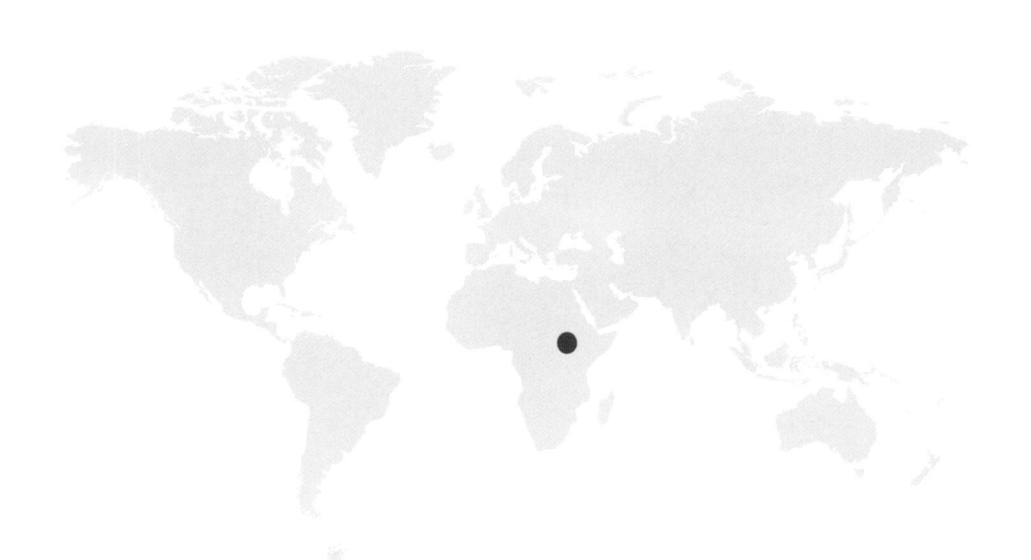

Sanctuaire de l'humanité, classée au patrimoine mondial de l'Unesco, la basse vallée de l'Omo est aujourd'hui menacée par le tristement célèbre barrage Gibe III qui entraîne une baisse considérable du niveau des eaux de la rivière Omo et prive les tribus riveraines de leurs seules terres cultivables. Ce barrage a un impact considérable sur l'écosystème délicat de toute la région. Il implique la disparition des crues annuelles et des limons fertiles qu'elles généraient et l'effondrement de l'économie de subsistance d'environ cent mille membres des communautés indigènes qui vont se trouver confrontées à une grave pénurie alimentaire.

A cela s'ajoute un ambitieux programme de plantations au bénéfice de l'Etat et d'investisseurs privés qui va recouvrir plus de deux cent cinquante mille hectares des meilleures terres de part et d'autre de la rivière. Le gouvernement a déjà commencé à chasser les tribus de leurs territoires traditionnels et à leur confisquer leur bétail pour les pousser à partir. Les conséquences conjuguées du grand barrage et de ces immenses plantations seront d'une extrême gravité. Les ethnies vont devoir se disputer des zones de cultures et de pâturages déjà réduites. Les violations des droits de l'homme commises par les forces gouvernementales et par les hommes de main des grandes plantations ne se comptent plus.

Les Hamer habitent des huttes ogivales de branchages et de terre savamment enchevêtrés qui résistent aux forts vents de sable. Elles comprennent au niveau du sol la pièce de vie avec la cuisine en terre et à l'étage, sous le toit de paille, un grenier qui sert à garder les graines et les aliments à l'abri des rongeurs.

Tranhumance et nomadisme

Les Hamer se déplacent par clans familiaux, avec leurs troupeaux de bovins, selon un itinéraire tracé par leurs ancêtres au premier matin du monde, même si aujourd'hui ces transhumances se font plus espacées et plus rares.
Le bétail est, chez les Hamer, le pivot socioéconomique ; la fortune et le rang social d'un homme s'évaluent à l'abondance de son cheptel. Les animaux sont soignés et bichonnés : pour rehausser l'élégance de l'animal et pour le protéger du mauvais sort, les pasteurs, superstitieux, dessinent au rasoir des motifs décoratifs sur le pelage. Les bovins préférés ont le pavillon externe des oreilles ciselé. En langue hamer, chaque variation de teinte, de pelage, de taille et d'aspect a son propre qualificatif. A la naissance, les enfants reçoivent, outre leur nom octroyé par la famille, le nom de l'un des bovins préférés de leur père.
Chaque matin les jeunes filles récupèrent l'urine des bêtes. Cette urine sert de désinfectant, elle permet de se laver et de se décolorer les cheveux, de conserver le lait, de soigner d'éventuelles blessures, de nettoyer les peaux ou les récipients.
Le sang des bêtes les plus vigoureuses est délicatement prélevé par saignée à la veine jugulaire de l'animal. Il apporte le complément alimentaire protéiné nécessaire aux pasteurs puisqu'ils ne mangent pratiquement jamais la viande de leurs bêtes. Un petit arc spécialement conçu à cet effet, une flèchette à la pointe acérée, un garrot, et en une fraction de seconde le sang frais remplit la calebasse. Quelques secondes plus tard, l'animal est libéré et va aussitôt retrouver le reste du troupeau.

Pour le pasteur nomade, toute la vie s'articule autour du bétail. On ne le tue pas ou que très exceptionnellement pour des occasions rituelles ou festives, on ne le fait pas travailler. Vivante, la bête permet à l'homme de vivre au jour le jour mais aussi de traverser les périodes difficiles. Les sécheresses notamment. Son lait et son sang pour l'alimentation quotidienne, ses déjections pour le combustible ou la protection des hommes et des animaux contre les moustiques, son urine pour la conservation du lait, la désinfection des plaies ou pour le nettoyage, tout contribue à l'harmonie et à la complémentarité entre le berger et son troupeau.

Le nomadisme des Hamer tend aujourd'hui à se limiter même s'il est encore pratiqué dans les régions les plus isolées. Malgré cela, ils n'hésitent pas à marcher plusieurs jours pour se rendre à des cérémonies rituelles qui se déroulent dans de lointains villages ou sur les marchés de leur région. C'est l'occasion d'échanger de la nourriture, des épices, du beurre, des chèvres, mais surtout de se rencontrer, de palabrer et d'écouter les récits de tout un chacun. Le marché de Dimeka est particulièrement animé.

Parure et peinture corporelle

Les Hamer, femmes comme hommes, ont un sens aigu de l'esthétique. Les deux sexes passent tous les jours beaucoup de temps à s'embellir. Les femmes oignent leur corps d'huile et d'argile. Nues jusqu'à la taille, elles se couvrent les hanches d'une peau de vache incrustée de fines perles colorées. Elles s'enduisent les cheveux de beurre et d'argile et se parent de nombreux bracelets en fer-blanc, de volumineux colliers sertis de cauris et d'autres ornements. Sur leurs coiffures habilement tressées, certaines attachent des visières d'étain ou des serre-têtes de perles.

Hormis les colliers de perles et les boucles d'oreilles, les hommes privilégient la coiffure : les plus valeureux, ceux qui ont vaincu l'ennemi ou abattu un animal féroce, s'enduisent la chevelure d'argile qui, une fois séchée, forme une calotte rigide au-dessus de laquelle est plantée, sur un petit support de bois, une plume d'autruche. Les autres tressent leurs cheveux en mosaïque.
Ils exhibent fièrement leur torse nu orné de scarifications infligées lors des rituels de passage.

L'*ukuli*

Ce rite initiatique marque le passage des garçons à l'âge adulte mais également la possibilité de contracter un mariage et de posséder un troupeau. Il donne lieu à de grandes festivités, qui durent plusieurs jours. C'est le chef du clan qui décide, en fonction de l'abondance des pluies et de la récolte, s'il est opportun ou non d'organiser la cérémonie de l'*ukuli* qui associe plusieurs villages. Il choisit aussi qui sautera. Une fois désigné, le jeune homme, qu'on appelle également *ukuli*, commence son chemin « vers la pureté ». Il défait ses tresses, rase la partie frontale de son crâne et ôte tous ses accessoires.

Vêtu d'un simple pagne, il ne participe plus aux fêtes et s'astreint à un régime sévère pendant les mois qui précèdent la cérémonie. L'*ukuli* parcourt la campagne pour aller porter aux villages alliés et à ses amis les « invitations » au rituel, de fines cordelettes comportant autant de nœuds qu'il y a de jours jusqu'à la fête. Il suffit de couper un nœud chaque jour à cet « agenda » pour savoir quand la cérémonie aura lieu...

Dans la semaine précédant le jour J, commencent les préparatifs. On construit tout d'abord un *barashufo*, sous lequel les invités pourront se protéger du soleil. Les femmes du clan viennent y déposer leurs « pierres à moudre » et leur grain. C'est avec cette farine de sorgho que l'on prépare la « bière » en grande quantité pour les nombreux participants.
Le jour de la cérémonie, les jeunes femmes, parentes et amies de l'*ukuli*, passent de village en village en chantant et dansant. Puis arrivent les *maz* (les fouetteurs), de jeunes hommes, récemment initiés, qui forment un clan provisoire avec ses usages, son langage, son régime alimentaire et ses codes.
Tour à tour chacune des jeunes femmes provoque l'un des *maz* jusqu'à ce qu'il accepte de lui donner un coup. Il ne frappe qu'une fois, puis jette le fouet. Les femmes peuvent provoquer autant de *maz* qu'elles le désirent et, donc, recevoir autant de coups qu'elles le souhaitent. Il s'agit à la fois d'une preuve de courage personnel et d'une marque d'amour pour l'*ukuli*. Les traces laissées par cette épreuve, une fois cicatrisées, feront leur fierté.

Des claquements secs retentissent. Trois hommes, qui se distinguent des autres par deux plumes noires dressées sur leurs tête, frappent les femmes qui les ont sollicités et qui en redemandent. Elles font face à leur bourreau qui hésite à frapper, elles le narguent les bras ouverts. Puis le coup de fouet cinglant s'abat.
Pas un cri, rien, mais des plaies béantes dans le dos de celles qui veulent démontrer par ce sacrifice déconcertant combien elles soutiennent le jeune garçon prêt à devenir un homme. Reconnaissable à ses cheveux défaits qui s'amoncellent comme un nuage autour de son crâne, l'*ukuli* erre dans la foule. Il est tendu et ne jette pas un regard en direction des femmes dont le sang coule pour lui.

Une femme enceinte entre dans la danse : elle vient quémander ses coups. Cette fois, le *maz* la repousse. Elle insiste. Il la frappe, beaucoup moins fort qu'à l'habitude. Puis part. Elle lui court après, pousse des cris stridents. « Vas-y ! Frappe-moi ! Je n'ai pas mal ! Je suis forte ! »

Les trompettes résonnent. Les femmes sautent à pieds joints. Leurs épais bracelets de cheville s'entrechoquent, leurs perles de couleurs et cauris se soulèvent. Elles soufflent dans leur trompette, boivent de la bière de sorgho qu'elles se passent de bouche en bouche ; les hommes discutent, accroupis sous un gros acacia, d'autres se maquillent et se parent de plumes.

Le groupe se dirige maintenant vers le lit de la rivière asséchée. Les hommes ont fini de se maquiller. La flagellation prend fin. Sur la berge d'en face, un troupeau de zébus est rassemblé dans une clairière proche du village. Les bêtes paraissent nerveuses.
Le jeune *ukuli* est étendu, nu, par terre, encerclé de plusieurs hommes qui agitent des feuillages sur son corps pour le mettre sous la protection des bons esprits et éloigner de lui les mauvais. Un des maîtres de cérémonie lui fait face et lui fait répéter ses engagements : il s'agit d'une sorte de prestation de serment. Pendant ce temps, les femmes, réunies un peu plus loin, dansent, sautent, font claquer leurs lourds bracelets de cheville. Aucune ne se soucie de son dos ensanglanté.

L'*ukuli*, épaulé par un garçon d'une classe d'âge supérieure qui l'encourage et le rassure, fait maintenant face à une rangée de plus de trente taureaux et vaches tenus serrés flanc contre flanc par les derniers jeunes hommes à avoir franchi l'épreuve. La passerelle de vaches est prête. Le futur marié observe la scène, le visage sévère. Le voilà qui enlève d'un coup sec sa peau de chèvre et s'élance, entièrement nu.
Sous le regard de ses aînés, des membres de son clan et des clans invités, il prend son élan, saute sur l'échine du premier taureau et parcourt sans trébucher la rangée de trente dos, il se jette au sol puis recommence l'exploit en sens inverse. Hop ! Il saute sur le dos de la première bête sans la toucher des mains, court sur le dos des autres et redescend de l'autre côté. Il doit effectuer ce parcours quatre fois et n'a droit qu'à une seule erreur : s'il tombe plus d'une fois, il deviendra la risée du village et sera battu par la famille de celle qui devait devenir sa femme. Troisième passage. Un, deux, trois, quatre, cinq... le futur marié est par terre ! Une vachette brune, qui apprécie peu d'être piétinée, s'est écartée du rang et les villageois n'ont pas su la retenir. Les troisième et quatrième passages sont heureusement parcourus sans faute. Ça y est : le jeune éphèbe est devenu homme, un *donza*. Toute la nuit, les siens le fêteront, par des danses et des chants. Les femmes ne panseront toujours pas leurs plaies.
Après le rite de l'*ukuli*, le *donza* intègre pendant quelque temps le cercle des *maz*, dont il doit adopter les rites et les codes particuliers, dans la logique du cycle initiatique.

Mariage chez les Hamer

Cette nuit, une animation toute particulière s'empare de notre petite communauté hamer. Une grande cérémonie se prépare. La jeune soeur de Bodo se marie. Demain matin sa belle-mère viendra pour l'emmener. Elle ira rejoindre le clan de son mari à plus d'une vingtaine de kilomètres.

Pendant toute la nuit, les clans des villages voisins nous rejoignent. Ils arrivent des quatre points cardinaux en groupes de quelques dizaines de personnes en chantant à tue-tête. Ils rejoignent la communauté de la jeune fille pour la célébrer et lui faire leurs adieux.

Une foule compacte est maintenant réunie dans l'enceinte du petit clan familial. De nouveaux groupes arrivent dans la nuit les uns après les autres et se joignent à la foule. On entend de très loin leurs chants qui résonnent dans la savane.

Pendant la nuit entière, les filles et les garçons du clan de la jeune mariée et de tous les clans voisins dansent, chantent, offrent des présents et un peu d'argent à la jeune fille alors qu'à côté ses parents, ses petits frères et sœurs pleurent à chaudes larmes. Ils sont inconsolables.

Le lendemain à l'aube, la mère du futur époux arrive. Un long cortège se forme pour accompagner la jeune mariée sur les premiers kilomètres du chemin qui va la conduire jusqu'au village où elle va désormais vivre aux côtés de son mari. Les pleurs redoublent d'intensité, la jeune femme craque, elle est soutenue par ses frères et sœurs, en pleurs eux aussi.

Au bout de quelques kilomètres, le groupe se sépare. La jeune femme s'éloigne avec sa belle-mère, ses parents, ses frères et sœurs rebroussent chemin, les sanglots les étreignent encore. Le manque se fait déjà sentir.

GERMANY

MURSI
Les guerriers du donga

Les Mursi vivent à la périphérie ouest du parc national de Mago, sur les bords de l'Omo. Ils seraient moins de dix mille. Leur nombre diminue du fait des conditions sanitaires extrêmement précaires, de périodes de sécheresse plus longues et de leur déplacement forcé vers les terres arides de l'Est.

Semi-nomades, les Mursi ont peu de contacts avec les autres tribus. C'est un des derniers peuples d'Afrique dont les femmes portent encore des ornements labiaux et auriculaires en forme de disques plats, d'où leur surnom de « femmes à plateau ».

Les Mursi attachent beaucoup d'importance à l'harmonie intra-tribale. Hier encore, ils se regroupaient par clans familiaux sur les rives de l'Omo et plus souvent aujourd'hui dans les savanes arides de l'intérieur. Ils craignent et vénèrent à la fois les eaux de l'Omo qui sont vitales pour tous les peuples nomades ou semi-nomades de la région. Outre un fort courant et des tourbillons, l'épais limon brunâtre de la rivière cache hipoppotames, crocodiles et mauvais esprits.

Malisha est l'un des très rares Mursi à avoir quelques contacts avec le monde du dehors. Il a travaillé plusieurs années pour des associations caricatives qui œuvraient aux portes du territoire mursi. Sans être jamais allé à l'école, il a su capter très vite la langue anglaise et s'adapter au mode de fonctionnement tellement différent des Occidentaux. Tout cela ne l'empêche pas pourtant de mener une vie des plus traditionnelles.

Entouré de ses deux épouses, de ses enfants et de son troupeau de zébus, Malisha habite une rudimentaire hutte de paille dans un tout petit campement qui n'en compte guère plus de cinq et qu'il déplace au gré des besoins sur les terres arides où sa tribu est désormais recluse.

Malisha n'a jamais cédé aux sirènes de la vie moderne et de ses multiples artifices. Très respecté par son peuple, il continue de vivre nu, au milieu des siens, de conduire son troupeau. Il est un peu un « grand frère » pour les jeunes générations.

Il essaie d'apprendre des rudiments de secourisme et de médecine pour aider ses frères et sœurs mursi qui continuent à vivre dans l'isolement et le plus grand dénuement. Il n'hésite pas à parcourir des dizaines de kilomètres à pied pour aller soulager les malades, grâce à ce qu'il a appris en travaillant dans les dispensaires des ONG ou dans le petit centre de soin gouvernemental de la région.

Un peu plus loin, devant la hutte du père de Malisha, quelques enfants s'affairent à se peindre le corps et le visage. Ils s'amusent à se métamorphoser en tel ou tel animal en imitant par exemple les taches du léopard. Ces peintures corporelles traduisent un potentiel créatif surprenant. Ephémères, ces œuvres à base de craie et de couleurs naturelles changent au gré des événements et des rituels. Les Mursi comme leurs voisins hamer inventent des formes à l'infini, peignant avec leurs doigts ou avec de petits roseaux des pois, des ronds, des lignes… Les différents motifs suscitent l'admiration de la tribu. A l'adolescence, ils deviennent des armes de séduction. Les guerriers choisissent de préférence la couleur rouge qui rappelle le sang de leurs blessures.
Se raser entièrement est également, chez les hommes mursi, un signe d'élégance. Les plus coquets s'épilent même les cils.

Les maisons des Mursi sont plus rudimentaires et plus fragiles que celles des Hamer. Ce sont de simples habitats temporaires car, à la différence des Hamer qui restent plusieurs mois au même endroit, les Mursi ne cessent de se déplacer. Leurs huttes sont petites, coniques, construites avec des matériaux trouvés autour du campement : de l'herbe et des branchages.

Les ressources principales des Mursi proviennent aujourd'hui, plus encore qu'hier, du troupeau, alors que les conflits avec les tribus voisines sont devenus de plus en plus fréquents depuis qu'ils se retrouvent contraints à partager des territoires restreints.
Le troupeau de zébus est avant tout un patrimoine qui est transmis de génération en génération ou qui sert à payer la

dot. Ce sont les hommes, généralement des initiés ou des guerriers armés de lances et aujourd'hui d'armes à feu, qui se chargent de conduire les troupeaux de chèvres ou de zébus, parfois loin du village, pour trouver des pâturages. Ils pratiquent également un peu de chasse et de cueillette.

Depuis quelques années, les Kalachnikov et autres AK47 sont omniprésents dans la vallée de l'Omo. Achetés aux anciens rebelles du Sud-Soudan voisin, ils sont utilisés pour dissuader les voleurs de bétail.
Comme les autres tribus de la vallée, les Mursi utilisent encore des arcs, des flèches et des sagaies (javelots). Les jeunes garçons apprennent à chasser avec, mais se servent aussi maintenant d'armes à feu, ce qui n'est pas sans conséquence sur la faune.

Les Mursi expropriés de leurs terres

Pendant la saison des pluies, les clans avaient pour habitude de rejoindre les berges de l'Omo pour profiter des terres fertilisées par les limons déposés après la crue et y cultiver le sorgho et le maïs, aliments de base. Malheureusement en 2012 les Mursi ont été brutalement chassés par les multinationales qui ont loué ou acheté au gouvernement éthiopien plus de deux cent cinquante mille hectares de ces terres afin d'y développer, entre autres, d'immenses plantations de canne à sucre.
Malisha et son frère dénoncent ces violations des droits territoriaux ancestraux de leur peuple. Ils dénoncent également le grand barrage Gibe III qui a provoqué une baisse considérable des eaux et du débit de la rivière Omo. Cette baisse a des conséquences dramatiques jusque sur le lac Turkana, au Kenya, dont le niveau a baissé de près de dix mètres et dont la salinité devenue extrême entraîne la disparition de nombreuses variétés de poissons qui constituaient les ressources principales des tribus riveraines et notamment des Turkana. Tous deux ont été emprisonnés, menacés, maltraités par les autorités et les hommes de main des plantations.

Un plateau labial de terre cuite pour parure

La mise en place de l'ornement labial inférieur (appelé *dhébé* chez les Mursi) intervient avant l'âge de dix ans : après extraction des incisives inférieures, la lèvre est perforée et une cheville de bois y est insérée. L'orifice est agrandi d'année en année par l'introduction de cylindres de plus en plus grands, jusqu'à la mise en place d'un grand plateau d'argile décoré de gravures qui peut atteindre vingt à vingt-cinq centimètres de diamètre. On ne connaît pas avec précision l'origine et la fonction de cette pratique. Dans un article publié en 1939, Marco Marchetti précisait que le percement de la lèvre était accompagné du percement de l'hymen. Certains anthropologues prétendent que cette mutilation labiale avait pour but de dégrader la beauté des femmes mursi afin de les protéger des razzias esclavagistes. De nos jours, la fonction serait uniquement symbolique et surtout esthétique. La taille du plateau serait à la mesure de la dot exigée par la famille des jeunes filles à marier. Cette dot est habituellement composée de bovins, trente-huit en général, de caprins et, de nos jours, d'un AK47 !

Le port du plateau labial n'est pas permanent, mais limité aux moments de présence du mari et des fils ou aux rencontres importantes. Cette coutume se retrouve chez les voisins surma qui vivent à l'ouest de l'Omo.

Les autorités éthiopiennes tentent d'inciter les femmes mursi à abandonner le plateau labial et à subir une opération de la lèvre nférieure pour lui redonner une apparence dite « normale ». Pour l'instant, peu de femmes acceptent de s'y soumettre mais les nouvelles générations abandonnent rapidement cette tradition que les autorités réprouvent et considèrent comme une dégradante.

Le plateau labial n'est pas la seule parure des femmes mursi qui portent aussi des colliers en coquillages ou en perles et se rasent le crâne. Hommes et femmes se percent les oreilles et y insèrent des disques de bois léger. Ils portent des scarifications sur les bras, le ventre ou la poitrine. Chez les hommes, ces dessins figuratifs, commémorent un acte de bravoure et inspirent le respect des membres du groupe. Les femmes arborent également des scarifications sur l'épaule qui constituent leur « carte d'identité » tribale tandis que colliers, bracelets, sourires espiègles, regards canailles et peintures mammaires trahissent un désir de plaire, surtout pendant la période des rites du *donga*, quand les combattants ont acquis le droit de convoiter une compagne. Les femmes, qui restent le plus souvent au village, consacrent la majeure partie de leurs temps à entretenir les huttes et les enclos.

Des esprits et des plantes

Les Mursi font appel aux esprits des ancêtres défunts ou de la nature chaque fois qu'un problème survient ou qu'une personne est malade. Comme chez tous les peuples animistes, l'harmonie entre les mondes parallèles visible et invisible est essentielle pour que chacun puisse préserver son équilibre tant au sein de sa communauté que de son environnement.

Lorsqu'une personne est malade, la femme, ou l'homme, médecine, invoque les esprits protecteurs mais aussi les esprits responsables de la maladie qu'elle éloigne en agitant des feuillages autour de son corps et de sa tête. Elle procède également à des succions afin aspirer le mal qui est ensuite recraché en même temps que l'esprit responsable de la maladie est chassé du corps.

Selon les maux, s'il s'agit par exemple de blessures ouvertes, la femme ou l'homme médecine peut utiliser sa connaissance des plantes médicinales pour contribuer à soigner son patient, mais ces plantes qui guérissent viennent en complément et ne peuvent rien sans le bon vouloir des esprits.

La razzia comme stratégie de survie

Dans ce cadre impitoyable aux ressources minimes règne une rivalité sans merci. La razzia a été pendant longtemps et demeure, dans les régions les plus isolées, l'unique stratégie de survie. Ainsi les Mursi sont-ils en état de guerre quasi permanent avec leurs voisins Bodi, les Hamer ou les Nyangatom. Alliances, trahisons, incursions soudaines se succèdent sans répit suivant une logique qui désigne le dernier vainqueur comme la cible immédiate des autres. La situation d'antan a encore empiré depuis qu'aux lances et aux armes blanches sont venues s'ajouter les puissantes armes à feu récupérées des conflits du Sud-Soudan voisin.

Les Mursi font cependant une exception, les Kwegu, qui partagent avec eux un même territoire, une petite ethnie de cultivateurs et de chasseurs itinérants avec laquelle les Mursi entretiennent des relations non seulement paisibles, mais protectrices. Les Kwegu ne possèdent pas de bétail, mais ils en reconnaissent la valeur car il constitue chez eux – comme chez toutes les tribus riveraines de l'Omo – une part importante de la dot à verser pour célébrer le mariage.

Ce sont donc les Mursi qui leur procurent les bêtes nécessaires. Ils vont même jusqu'à mener pour eux toutes les tractations, et assurent en outre la protection de ces « partenaires ». En échange, les Kwegu, qui sont appelés également « maîtres des pirogues », fournissent aux Mursi un certain nombre de denrées et de services : miel, gibier et transports sur la rivière Omo que les Mursi doivent parfois traverser pour aller rencontrer leurs cousins et alliés, les Surma, qui vivent à l'ouest de l'Omo.

Si, à première vue, les Kwegu semblent soumis à ces bienveillants tuteurs, la réalité, beaucoup plus complexe, s'articule sur un ensemble d'intérêts mutuels bien compris. Chacun des deux groupes joue en effet un rôle indispensable au bien-être commun, et tire de cette collaboration des avantages sans porter atteinte à son identité.

Barrages, tourisme, prosélytisme

La création de parcs nationaux ajoutée aux expropriations imposées ces dernières années par l'Etat ont réduit considérablement les zones de chasse et d'agriculture itinérante des Mursi comme des autres tribus, les empêchant de disposer des ressources essentielles à leur survie.
A cela s'ajoutent une série de barrages en projet ou déjà en cours de construction sur la rivière Omo qui serviront à produire de l'énergie hydroélectrique et à irriguer de vastes champs de canne à sucre et autres plantations destinées aux agrocarburants ou à l'agroalimentaire. En bloquant la crue naturelle de l'Omo, ils empêchent le dépôt du limon fertile si précieux pour les populations riveraines qui sont chassées *manu militari* d'une vaste zone de part et d'autre des berges de l'Omo. Elles ne pourront plus y cultiver ni y conduire leurs animaux pendant les périodes de sécheresse. Elles doivent désormais se rabattre sur les régions arides de l'intérieur que les ethnies voisines ne manquent pas de leur disputer.
Ces peuples autochtones, directement menacés par ces barrages, n'ont jamais été consultés par le gouvernement : « Notre terre n'est plus bonne à rien. Ils ont retenu l'eau et nous connaissons maintenant la famine. Ouvrez le barrage et laisser couler l'eau », répètent les représentants des ethnies riveraines qui s'inquiètent de la disparition de leurs moyens de subsistance.
Les Hamer, quant à eux, sont touchés de plein fouet par l'occidentalisation. Le prosélytisme chrétien et musulman vient peu à peu à bout des traditions ancestrales liées à leur spiritualité originelle animiste. Le tourisme, de plus en plus massif dans cette région, entraîne de nombreuses dérives dont la commercialisation des cultures.

Le tourisme indécent des voyages « organisés »

Il y a quelques décennies encore, les tribus du Sud de l'Ethiopie vivaient en autarcie totale dans des villages isolés, au milieu des animaux de la savane, préservés de toute civilisation extérieure. Aujourd'hui, et malgré l'isolement relatif de la région, les opérateurs touristiques et leur clientèle de plus en plus nombreuse constituent une menace sérieuse.

Depuis quelques années, on voit déferler un tourisme sauvage, désorganisé, sans aucune réglementation ni limites. Les voyagistes se disputent comme des chiffonniers les restes des dernières sociétés tribales authentiques de la basse vallée de l'Omo. Certes, tous ces touristes ne font que passer, mais ils sont nombreux, trop nombreux ! Ils se déplacent souvent en groupes importants de trois, cinq ou dix 4X4 ! Il n'est pas rare qu'un petit village mursi ou hamer voit défiler dans une même journée plusieurs groupes plus ou moins importants d'individus, appareils photo en bandoulière, aux fausses allures d'explorateurs. Les touristes sont pressés d'engranger ces photos extraordinaires qu'ils exhiberont devant leur famille et amis, de retour dans leur pays confortable. Beaucoup d'entre eux sont arrivés là sans la moindre préparation et n'ont guère de savoir-vivre. Ils se comportent en voyeurs beaucoup plus qu'en voyageurs.

Le tourisme dit « organisé » ou tourisme de groupe n'a plus grand-chose à voir avec les valeurs du voyage. Pompeusement appelé ethnotourisme ou écotourisme, il n'est en fait qu'une forme de voyeurisme qui entraîne un comportement de meute, avec tous ses travers lourds de conséquences sur les populations rencontrées. Si les touristes et leurs appareils photo sont tolérés ici, c'est parce qu'ils représentent une source d'argent facile, extorqué sans

trop de mal et qui permet l'acquisition d'armes et de munitions supplémentaires.

A défaut de recevoir quelque soutien que ce soit de ces opérateurs touristiques et de tous ces visiteurs indélicats, les ethnies essaient d'en tirer quelque profit en demandant de l'argent contre chaque photo prise.

Imaginez des flots réguliers de personnes non préparées, ignorant jusqu'aux codes de communication les plus élémentaires avec des populations tribales, débarquant au milieu de ces terres autochtones sans aucune possibilité d'établir un contact concret et dont la seule finalité est de faire en peu de temps des clichés « exotiques » avant de repartir aussitôt !

Les Mursi restent des pasteurs semi-nomades, de redoutables guerriers, bien loin de toute idée de folklore, ils n'ont rien à vendre à ces visiteurs de passage. A partir du jour où les premiers touristes ont commencé à payer pour un cliché, les Mursi ont bien compris que la seule façon de valoriser cette intrusion dans leur monde était de vendre leur image.

Le mal est fait. Il résulte de l'absence totale de réglementation de la politique touristique dans le pays et de l'appétit grandissant des touristes pour ces peuplades hors du temps. Les opérateurs touristiques se nourrissent avec empressement et avidité des derniers fruits de cet arbre millénaire qu'ils contribuent eux-mêmes à déraciner. Il y a fort à craindre que les traditions n'en viennent à bientôt se transformer, comme un peu partout ailleurs, en *folkore à touristes* qui sonnera à jamais le glas des dernières cultures autochtones de la vallée de l'Omo.

Les femmes mursi, nyangatom ou karo se sont rendu compte que celles qui portaient les parures les plus originales étaient les plus photographiées et récupéraient le plus d'argent. Depuis quelques années, on assiste à une véritable suren-

Les Mursi, grands orateurs devant l'éternel

Jalouse de son isolement, impitoyable envers les intrus, la société mursi jouit d'une relative harmonie intérieure. Les désaccords et les problèmes sont discutés au cours d'interminables réunions, généralement tenues à ciel ouvert à l'ombre d'un grand arbre. Chacun peut dire son mot et développer son point de vue. L'habileté oratoire est si appréciée que les rassemblements finissent par se transformer en véritables spectacles d'art dramatique où la rhétorique est reine. Le mot de la fin revient aux anciens, réputés pour leur expérience et leur sagesse.
L'exubérance des jeunes gens, impatients de démontrer leur virilité, trouve un exutoire dans les duels entre classes d'âge qui ont lieu plusieurs fois par an. Malisha va nous permettre de vivre à ses côtés l'un des plus importants rites de passage des jeunes garçons mursi, le *donga*. Un rite complexe au cours duquel, après une période d'isolement en autarcie dans la savane, les plus jeunes doivent affronter et surtout esquiver avec courage les coups de fouet de leurs aînés, les garçons de la classe d'âge supérieure, au sein de laquelle ils seront accueillis s'ils passent l'épreuve avec courage et dignité.

Le bâton et le fouet

Vu de l'extérieur, le *donga* semble un tournoi assez cruel. Cette joute au bâton ou au fouet est également pratiquée par leurs cousins surma. Elle se déroule à la fin de la saison des pluies et marque l'une des différentes étapes du passage de l'enfance à l'âge adulte des garçons.
A cette occasion, les jeunes hommes des classes d'âge plus avancées affrontent les jeunes initiés qui doivent parer les coups de fouet de leurs aînés en se protégeant avec un long bâton qu'ils brandissent à deux mains. Selon les règles de cette épreuve, ceux qui aspirent à entrer dans la classe d'âge supérieure doivent prouver leur courage et leur virilité en se battant nus.

Il y a parfois des blessés mais les anciens veillent et stoppent aussitôt les affrontements trop violents ou qui dégénéreraient. D'autres *donga* sont organisés pour permettre aux hommes qui désirent se marier de prouver leur courage devant toute la tribu. Les règles de ces duels restent extrêmement simples : il faut donner une correction sévère à son rival en évitant de le tuer, toute « bavure » serait formellement punie.

La foule entoure le terrain de terre battue au centre duquel s'affrontent les participants, armés d'une fine perche de bois dur de plus de deux mètres de long et à l'extrémité sculptée en forme de phallus. D'épaisses bandes de coton leur protègent la tête et le cou, tandis que des corbillons de fibres végétales leur couvrent le dos des mains, les coudes et les genoux.

Le but n'est pas de tuer ou de blesser, mais de prouver son agilité, sa dextérité. Non qu'il n'y ait dans ces combats ni risque ni sang versé, mais les blessures infligées ne sont jamais mortelles. En cas d'homicide, même involontaire, la sanction est terrible, sans appel : exclusion définitive du village après confiscation des biens, c'est-à-dire du troupeau. Le vainqueur qui a éliminé tous ses adversaires est porté en triomphe devant un parterre de jeunes filles. L'une d'elles choisira le héros pour futur époux.

Quels lendemains pour les dernières sociétés pastorales de la vallée de l'Omo ?

Ici, dans ces confins de la corne de l'Afrique, quelques cultures autochtones ont su, en dépit des pressions, préserver des pans entiers de leur riche culture pastorale. La basse vallée de l'Omo est l'un des tout derniers sanctuaires où une humanité encore riche et fière de ses différences parvient à exister.

L'uniformisation des sociétés sur le modèle occidental vient pourtant faire vaciller le socle sur lequel ce sanctuaire unique repose. Les eaux impétueuses de l'Omo attirent les constructeurs de grands barrages. Ses berges fertiles sont aujourd'hui convoitées par les multinationales de l'agroalimentaire qui profitent des largesses d'un gouvernement éthiopien indifférent au sort de ses citoyens, qui vend ou loue des centaines de milliers d'hectares sans discernement ni conscience des impacts sur les populations locales. Quant aux richesses culturelles uniques des peuples de la basse vallée de l'Omo, elles attirent déjà les meutes indélicates du tourisme de masse.

Pendant combien de temps encore les dernières sociétés pastorales semi-nomades de la vallée de l'Omo pourront-elles résister ? La réponse figure déjà dans les rapports et les plans dits « de développement » de cette région qui suscite aujourd'hui toutes les convoitises.

MONTAGNARDS
Des esprits et des hommes

Tout au long de la cordillère des Andes, en Asie sur les contreforts de la chaîne himalayenne, dans la péninsule indochinoise ou dans les hautes terres de la Papouasie-Nouvelle-Guinée les villages de ces peuples qui ont choisi de vivre plus près du ciel se nichent aux sommets des montagnes, sur leurs flancs, sur les hauts plateaux, ou au creux des vallées encaissées.
Il s'agit généralement de sociétés tribales ou villageoises agraires qui ont développé des techniques agricoles extrêmement élaborées – sur brûlis, sur abattis, en terrasses ou en fond de vallée – et des systèmes d'irrigation adaptés. Ces territoires ont été plus tardivement colonisés du fait du relief accidenté et des réseaux routiers souvent inexistants ou insuffisants.
Ces ethnies montagnardes vivent le plus souvent en communautés villageoises homogènes. Elles sont parvenues à sauvegarder des traditions séculaires et des spiritualités d'une étonnante complexité pour celui qui n'y a pas été initié. Traditions vestimentaires colorées, rites de séduction, cérémonies déplaçant des foules, et spiritualité en lien constant avec les éléments et la nature ont été mieux préservés chez les habitants des toits du monde que partout ailleurs.

Miao-Yao : comme des chats sauvages

La péninsule indochinoise est peuplée de temps immémoriaux par des peuples multiples d'origine quadruple : Tibéto-Birmans à l'ouest, Taï, Miao-Yao au nord, Austronésiens et Austro-Asiatiques à l'est et en descendant vers le sud. Toute cette partie extrême-orientale de notre planète est une mosaïque extrêmement variée d'expressions culturelles dont les formes et les couleurs sont si riches qu'elles ne cessent d'émerveiller et d'interroger le voyageur de passage. Dans ces régions de montagnes, Akha, La Hu, Xa Pho, Lolo, Phu La, Taï, Karen, Kachin, Lisu, Miao, Yao et beaucoup d'autres appartiennent aux groupes tibéto-birmans et sino-tibétains dont les lointaines origines se trouvent en Chine et jusqu'aux confins du Tibet et de la Mongolie. Ailleurs sur les plateaux du Viêtnam, du Laos et du Cambodge les populations austronésiennes et austro-asiatiques lawae, édé, banhar, phnong, jorhai ou sedang sont beaucoup plus anciennes encore, et plongeraient leurs racines loin dans l'histoire migratoire de l'humanité.

Originaires des hautes steppes du Tibet et de Mongolie, les Hmong et les Yao excellent dans les arts du chant, de la broderie ou du façonnage des parures et coiffes en argent. Leur aptitude à gravir les pentes escarpées des montagnes et leurs chants aigus qui font souvent penser au miaulement des chats leur ont valu le surnom de « chats sauvages ».
Fuyant les poussées mongoles à l'époque de la dynastie Yuan, des vagues de migration miao se dirigèrent du Hunan vers la province du Guizhou et plus au sud par étapes successives. Les Miao se répandirent ainsi au Yunnan, en Birmanie, dans la province du Guangxi et dans la péninsule indochinoise où ils sont plus connus sous le noms de Méo ou de Hmong. En Chine ils représentent environ cinq millions de personnes dont trois habitent la seule province du Guizhou. Ils ont su, mieux que tous leurs voisins, résister aux diverses mutations parfois dramatiques de l'histoire chinoise. Un proverbe miao dit : « Je travaille quand le soleil se lève. Je me repose quand il se couche. Pour boire je creuse mon puits. Pour manger je laboure mon champ. Que m'importe la puissance de l'empereur. »

Une des traditions les plus éclatantes du Guizhou tient dans les vêtements brodés de motifs aux couleurs chatoyantes et les parures d'argent portées par les jeunes femmes miao à l'occasion des nombreuses fêtes que compte le calendrier miao. La parure est ici un rite qui tiendrait presque du sacré. Ne pas savoir tisser, coudre et broder vouerait la jeune femme a un célibat presque certain. Chaque jeune fille commence dès le plus jeune âge, aidée par sa mère, à broder son costume, et toutes rivalisent d'ingéniosité.

Alors que les hommes ont en charge les gros travaux, et notamment le labour aidé de leur fidèle compagnon le buffle, seul à pouvoir œuvrer dans ces étroites parcelles, les femmes quant à elles se retrouvent par petits groupes enjoués pour biner, sarcler ou semer dans la bonne humeur.

Comme la plupart des sociétés traditionnelles qui ont su résister aux influences des grandes religions prosélytes, les Miao pratiquent le culte des esprits. Les occasions de leur rendre hommage sont innombrables. Le chaman est celui qui communique avec les esprits. Il connaît les plantes médicinales. On le consulte pour le traitement des maladies ou pour connaître les augures. Il fixe également la date des semailles et des récoltes et sait quelles paroles séduisent les buffles ou font prospérer les champs.

Pour ces peuples des montagnes, tous les êtres de la création possèdent une âme. Chez les Miao, l'homme est privilégié puisqu'il en possède trois. Après la mort l'une reste avec le défunt. La deuxième part pour un long voyage vers le royaume de l'au-delà. Quant à la troisième, elle est vouée à la réincarnation. Les Miao croient en un grand esprit que l'on pourrait appeler le tout universel. Chaque être de la création vivant ou inanimé, chaque esprit, chaque âme est une composante de ce tout universel représenté et symbolisé par le soleil et ses astres. C'est pourquoi la place du village est toujours pavée à l'image du soleil et des étoiles. Les danseuses et les musiciens miao évoluent dans le sens des astres, dans le sens du temps, et aussi paradoxalement dans le sens inverses des aiguilles d'une montre.

Peu de peuples en ce monde ont développé à ce point l'art de se courtiser. Les Miao appellent cet art le *you fan*.

A proximité de chacun de leurs villages, un lieu particulier, qui peut être une placette, un jardin ou un bois est réservé au *you fan*. C'est là que se retrouvent jeunes gens et jeunes filles en quête de l'âme sœur. Dialogues et serments s'échangent le plus souvent la nuit en chantant à haute voix. Cet exercice est d'autant plus délicat que nul ne peut dire simplement « Je

t'aime » ce qui serait grossier mais doit, bien au contraire, procéder par allusions et métaphores selon un code établi.

Le mariage ne consacre pas l'union véritable des époux. La mariée se rend dans la famille de son futur mari dont le rôle ce jour-là se limite à recevoir et à distraire les invités. Après la fête, la jeune mariée devra rentrer chez elle. Le mari se contentera de l'inviter à le rejoindre quelques mois plus tard pour les semailles. Ils mèneront alors une vie de couple quasi normale mais, dès la fin de la saison agricole, la jeune épouse devra repartir chez ses parents jusqu'à la période des moissons. Ces allées et venues dureront jusqu'à la première grossesse. C'est seulement à la naissance du premier enfant qu'ils pourront demeurer définitivement ensemble.
Depuis que la Chine, le Viêtnam ou le Laos se sont ouverts au tourisme au milieu des années 1990, celui-ci a peu à peu progressé dans les régions montagneuses et les a de plus en plus envahies. Pour nourrir la curiosité de leur clientèle, les tour-opérateurs offrent aux touristes ce qu'ils désirent voir, des images exotiques et colorées. Ils ne montrent que le manteau extérieur de la culture des ethnies montagnardes. Cette attitude est méprisante pour les montagnards, parce qu'ils savent que ce folklore vide les rituels comme les actes de la vie de leur sens sacré et profond. Les ethnies elles-mêmes, pour gagner quelque menue monnaie, vendent un artisanat de très mauvaise qualité, qui non seulement dévalorise leur art, mais surtout les dévalorise elles-mêmes.

Les fils du maître du ciel

Ceux que l'on peut considérer comme les peuples racines du Sud-Est asiatique sont les montagnards des hauts plateaux des frontières du Laos, du Cambodge et du Viêtnam. Ces peuples appartiennent à la famille austro-asiatiques. Proto-agriculteurs, chasseurs-cueilleurs, les plus préservés d'entre eux pratiquent une forme d'animisme totémique souvent lié à un animal ou à une plante sacrée. Ils croient aux esprits et respectent les génies qui sont en général rattachés aux éléments naturels, l'eau, le feu et la forêt. Ils ont coutume de se rassembler autour de la jarre pour les grandes occasions. Les rituels festifs sont rythmés au son des gongs qui sont une représentation symbolique du sacré. Le jeu des gongs procède d'une forme de joute musicale où chacun mesure son adresse et s'affirme au sein de la communauté. Les gongs sont toujours disposés et frappés suivant un ordre hiérarchique et symbolique extrêmement précis. Ces rituels s'accompagnent généralement de grandes libations de bière de riz bues avec de longs chalumeaux plongés directement à l'intérieur des grandes jarres collectives.

La vie du village s'égrène de façon harmonieuse au rythme de ses nombreuses activités, tout comme la fine farine qui s'écoule du moulin à grain. Le rite de la jarre est toujours lié à l' invocations des esprits et à une alliance qui va être scellée entre ces esprits et les personnes présentes dans la grande maison traditionnelle... Cette alliance est très profonde. Le montagnard n'accorde pas facilement son amitié. Il la met même volontiers à l'épreuve. Mais quand elle existe, elle est à la vie, à la mort. Le rite de la jarre se concrétise par le don des bracelets qui sont le signe extérieur de l'amitié qui vient de se nouer. On ne doit jamais remettre un bracelet en dehors du rite sacré de la jarre, sans qu'il y ait eu sacrifice et appel aux génies.

Lorsqu'un enfant vient au monde, il faut souffler fortement dans les oreilles du nouveau-né en invoquant les noms des morts dont on se souvient. Si l'enfant agite le bras quand un nom est appelé, ou s'il touche la goutte de rosée présentée à lui dans une feuille – où l'âme du défunt est supposée habiter – alors on considérera qu'il est bien ce défunt revenu dans le monde des vivants sous une forme nouvelle. La force des symboles, des rites, la musique sacrée des gongs et des tambours qui parlent aux esprits, contribuent à l'articulation harmonieuse des hommes avec leur mileu mais aussi avec le monde invisible des entités spirituelles.

Dans les hauts plateaux du Centre et du Sud du Viêtnam vivent les Edé, les Mnong ou les Sedang. Dans ces régions meurtries par les guerres d'Indochine et du Viêtnam, la déforestation a commencé dans les années 1960. Elle fut immédiatement suivie par l'exploitation et l'exportation massive des bois précieux par la population vietnamienne puis par la mise en culture des anciennes zones boisées. A la disparition de la forêt a succédé celle des animaux sauvages : tigres, buffles (gaurs), éléphants... Cela a entraîné pour le montagnard la perte de l'une de ses activités essentielle, la chasse. Mais la perte la plus dure fut celle de l'habitat traditionnel qui était un habitat noble, considéré par les ethnologues comme un des plus beaux du Sud-Est asiatique. Tous les éléments de ces maisons, même les énormes colones de soutien, étaient liés entre eux par des lianes, car, disent les montagnards : « La liane unit et le clou divise. » Tout cela a disparu. Le montagnard est contraint aujourd'hui de se construire de petites habitations en ciment, souvent couvertes de tôles, hélas très vite rouillées.
C'était autour des foyers sacrés au pied des grandes colonnes de bois que se transmettait la culture. L'oralité fait appel au cœur et à l'intelligence de l'autre. Chez les montagnards l'intelligence a son siège non pas dans le cerveau comme en Occident mais dans les oreilles, c'est-à-dire dans la faculté d'accueillir et de recevoir, la capacité à savoir écouter avant de commencer à parler.

Le montagnard considère l'homme non comme un tout qui se suffirait à lui-même, mais comme le maillon d'une chaîne. Il doit apprendre, dès son plus jeune âge, auprès de son grand-père pour le petit garçon, de sa grand-mère pour la petite fille, à vivre en relation juste avec son environnement immédiat, c'est-à-dire en premier lieu avec les personnes de sa famille, mais aussi plus largement avec

la nature, le monde végétal comme le règne animal... Il apprend à se situer par rapport aux points cardinaux. L'est, l'ouest sont ses amis, et celui qui préside, c'est toujours le soleil. Pour le montagnard, la vie commence à émerger dès qu'il y a une notion d'échange, de partage, de transmission. D'où cette tradition orale qui n'est pas faite pour être comprise, mais reçue, entendue, jamais expliquée. L'explication détruirait.
Dans ce type de culture, tout est lié, la nature et les hommes, les vivants et les défunts. Les cérémonies de guérison sont célébrées par les chamans qui identifient les esprits concernés en interrogeant le riz ou l'œuf suivant un rituel très précis. L'esprit du buffle fait lui aussi partie de la vie spirituelle des montagnards. Il est considéré, respecté, voire sacré. Un buffle ne pourra être sacrifié qu'à l'occasion de cérémonies et de rites extrêmements importants.

Dans l'organisation sociale matrilinéaire de la plupart des ethnies montagnardes des hauts plateaux du Viêtnam, du Cambodge ou du Laos, la terre est l'expression la plus fondamentale de la femme, et tout particulièrement de la mère. De même que la mère transmet la vie, la terre la nourrit et lui permet de se développer. La terre va donner le riz, et dans son rapport avec la croissance de l'homme, le riz a une âme. Le montagnard connaît et aime sa terre. Il connaît aussi les besoins en nourriture de sa famille, en fonction du nombre de personnes. Il sait donc parfaitement quelle surface de terre il doit cultiver pour l'année. Il n'en fera jamais plus que ce qui est indispensable car il ne veut pas fatiguer sa terre. Il la respecte car il veut qu'elle reste féconde. La terre est nourricière pour le peuple tout entier. C'est pour cela qu'il est impossible dans la mentalité du montagnard qu'elle appartienne à quelqu'un en particulier.

L'évangélisation chrétienne entreprise dans les hauts plateaux avant les expulsions de 1975 a été poursuivie ensuite par l'Eglise vietnamienne. Elle s'est propagée peu à peu sous sa double forme, catholicisme et protestantisme. L'Eglise évangélique américaine a malheureusement cru devoir détruire systématiquement tous les objets nécessaires au culte rituel ancestral, c'est-à-dire les gongs, les jarres, les tambours. Ce faisant, et c'est le plus grave, elle supprimait tous les liens qui se créent habituellement autour des rituels.

Françoise Demeure et Patrick Bernard

Papouasie, le royaume des missionnaires

La chaîne de montagnes impressionnante qui fend d'est en ouest la grande île des Papous, la Nouvelle-Guinée, abrite certaines ethnies dont l'existence ne fut révélée au monde qu'au milieu du XXe siècle. Autrefois chasseurs-cueilleurs itinérants, les tribus papoues des hautes terres y pratiquent l'agriculture depuis neuf mille ans avec diverses techniques comme la jachère, l'écobuage, l'assolement ou les cultures associées. Si la patate douce qu'elles cultivent est une de leurs principales ressources alimentaires, la cueillette, la chasse, et l'élevage de quelques animaux domestiques comme le porc, dont la viande est toujours associée aux pratiques rituelles, viennent compléter les activités des nombreuses ethnies papoues de l'île.

Chez les Papous comme chez tous les peuples racines, la relation au monde invisible des esprits est omniprésente dans les rituels comme dans chacun des gestes du quotidien. Le culte de la mort est au cœur de leur spiritualité. Après la mort, l'âme survit sous la forme d'un esprit qui pourra à tout moment intervenir dans l'existence des vivants. Les Papous en effet n'envisagent jamais une vie différente dans l'au-delà...

Dès les premières expéditions exploratrices de l'île, l'édifice spirituel sur lequel reposaient les structures sociales des ethnies papoues a commencé à vaciller sous la pression des Eglises prosélytes de toutes origines qui ont déployé leurs missions jusque dans les régions les plus reculées.

La seule Eglise baptiste autralienne a installé depuis le début des années 1950 plusieurs milliers de stations sur le territoire des Papous sans compter les innombrables missions des catholiques ni celles des différentes Eglises protestantes pour la plupart américaines, néerlandaises ou australiennes. Dès les années 1950, il n'était pas rare que les missionnaires organisent de grandes cérémonies publiques au cours desquelles les Papous récemment convertis étaient invités à brûler les corps momifiés de leurs ancêtres et tous les symboles de leur spiritualité première.
La construction par ces Eglises d'innombrables pistes d'atterrissage à flanc de montagne ou au fond des vallées les plus isolées a ouvert grandes les portes de l'occupation de la Nouvelle-Guinée par toutes sortes de migrants venus de l'Indonésie ou de l'Australie voisines.

Les Lahni de la haute vallée de la Baliem en Irian Jaya, la partie indonésienne de l'île, font état dans leur légende fondatrice d'un esprit universel, créateur de toute vie et de toutes choses, qu'ils appellent Bok. A l'aube de l'humanité, Bok créa dans ces hautes montagnes du centre de la Nouvelle-Guinée une large vallée fertile pour le peuple lahni qui n'avait pas de terre à lui et devait errer de vallée en vallée, régulièrement repoussé par les tribus locales. Bok y planta le premier arbre, il y déposa le premier cochon et le premier chien. Il y installa le premier homme et la première femme.

Les légendes lahni évoquaient un prochain retour sur terre de Bok pour y calmer les esprits guerriers, modifier l'aspect de la vallée et apporter de nouvelles idées...

En 1956, le premier missionnaire vint du ciel dans un grand oiseau de fer et se mit à construire une étonnante maison surmontée d'un clocher dont le toit brillait au soleil. Puis il défricha et nivela un vaste terrain pour que d'autres oiseaux de fer puissent venir s'y poser.
Pour les Lahni, il ne faisait aucun doute que le dieu bâtisseur Bok était de retour personnifié par cet homme bizarre à la peau blanche. Ils vénérèrent le missionnaire et écoutèrent attentivement ses enseignements. Puis les Lahni se dispersèrent pour aller apporter à leurs frères la bonne nouvelle et leur transmettre la parole de Bok, devenue, par la bouche du missionnaire, celle du Christ. Les missionnaires évangélistes qui arrivèrent ensuite s'aperçurent avec étonnement, que dans des vallées reculées, où les Papous n'avaient encore jamais vu de Blancs, le Christ était connu et idolâtré.

Il s'agit là d'un phénomène unique dans l'histoire de l'évangélisation, pourtant aujourd'hui, les Papous constatent avec désarroi que, d'une mission à l'autre, les enseignements divergent et sont parfois contradictoires.

« Mais qui est donc votre Dieu, pour changer ainsi toujours d'idée ? », me demanda un Lahni de la région de Waména qui vivait dans une mission catholique. « Mon frère vit non loin de mon village dans une mission baptiste. Lorsque je vais le voir, je n'ai pas le droit de fumer. Le pasteur baptiste dit que Dieu l'interdit. Le prêtre catholique qui vit dans mon village, lui, ne me l'a jamais interdit, lui-même fume cigarette sur cigarette ! Le prêtre vit seul, le pasteur baptiste vit avec sa femme et ses enfants. L'un nous oblige à nous habiller avec vos vêtements de tissu si compliqués à garder propres, l'autre nous autorise à garder nos étuis péniens et nos vêtements de fibres végétales. Qui faut-il croire ? Ne pourriez-vous pas vous arranger pour que tous vos dieux s'entendent entre eux ! »

CHAMANS
de l'Arunachal Pradesh

L'Arunachal Pradesh se niche aux confins de l'Inde, de la Chine et de la Birmanie. Il s'étend des hauts sommets de l'Himalaya jusque dans la vallée du Brahmapoutre, le grand fleuve sacré. Nous sommes au pays des derniers chamans apa tani, gallo et nyishi. Dans ces contrées des contreforts de l'Himalaya, isolées du monde, plusieurs ethnies perpétuent les rituels animistes hérités de leurs ancêtres.

On appelle cette région « l'oreille de l'Inde ». Elle apparaît sur les cartes comme une feuille fragile reliée au reste du sous-continent par une fine tige.

L'Arunachal Pradesh a une importance stratégique du fait de sa frontière avec le Tibet. Sa situation explique pourquoi ce territoire est resté depuis si longtemps fermé. Même les missionnaires, très présents dans tout le Nord-Est de l'Inde, n'étaient pas autorisés à y pénétrer, jusqu'à une période récente. L'Arunachal Pradesh possède la plus faible densité de population du pays avec seulement huit habitants au kilomètre carré. Cent fois moins que la province du Bengale. Les Etats du Nord-Est de l'Inde subissent pourtant depuis plusieurs décennies l'arrivée massive de migrants indiens et bangladeshis qui fuient leurs régions d'origine, à la recherche d'une vie meilleure. Les conséquences sont lourdes pour les autochtones. C'est dans cet Etat interdit que vivent une vingtaine de tribus généralement qualifiées d'Adi. Agriculteurs, pratiquant également la chasse, la pêche et la cueillette, beaucoup d'entre eux sont restés fidèles à la cosmogonie animiste des origines.

Les Nyishi

Les Nyishi, le peuple le plus important de la région, ont une longue tradition guerrière. Ils étaient autrefois redoutés des tribus voisines, notamment des paisibles Apa Tani. Leurs villages sont dispersés dans le Centre et l'Ouest de l'Arunachal Pradesh. Dans la société nyishi, l'unité de base est la cellule familiale. Il n'y a pas de structure politique. Toute la vie sociale est concentrée sur la maisonnée et le village.

Ici, les journées sont essentiellement consacrées aux travaux agricoles. Quelques animaux sont élevés dans les villages, principalement des volailles, des porcs et des bovidés destinés à être sacrifiés lors des *puja*, les cérémonies en l'honneur des nombreux esprits qui habitent un monde parallèle invisible mais omniprésent dans la vie quotidienne comme dans les innombrables rituels. Ces rituels animistes, qui peuvent

paraître souvent très complexes pour le regard extérieur, accompagnent tous les grands événements de la vie pour s'attirer les faveurs des esprits… Les esprits majeurs comme le soleil et la lune sont appelés Donyi-Polo. C'est aussi le nom le plus souvent utilisé pour qualifier la spiritualité animiste des ethnies qui habitent les hautes vallées, les plateaux et les montagnes de l'Arunachal Pradesh.

Près de la moitié des Nyishi sont restés fidèles à leur cosmogonie des origines. Pour se distinguer des nombreuses familles converties au christianisme, les animistes érigent devant leur maison un long mât de bambou surmonté d'un drapeau symbolisant l'astre majeur : le soleil. Le mât est purifié par le chaman avec de la poudre de riz. Un peu de cette poudre est également apposée sur le front des participants en signe de purification mais aussi de reconnaissance pour les esprits sollicités à travers ce rituel. Le cérémonial conduit par le chaman est suivi d'un repas arrosé d'*apong*, la bière locale.

Pour accompagner le défunt dans son voyage vers l'au-delà, ses enfants érigent une structure funéraire et sacrifient un mithun dont l'âme escortera le défunt jusqu'à sa dernière demeure. Le mithun est ce bison semi-sauvage emblématique des régions montagneuses du Nord-Est de l'Inde. Cet animal solitaire vit en semi-liberté dans les montagnes. Les villageois en capturent chaque fois qu'une *puja* importante nécessite un sacrifice.

Les Apa Tani

Un peu plus loin, vivent les Apa Tani sur une vaste plaine d'altitude entourée de montagnes. L'histoire ancienne de ce peuple est assez méconnue. On pense qu'il est venu du nord il y a très longtemps.

Contrairement à leurs voisins nyishi dont la réputation de guerriers n'est plus à faire, les Apa Tani, de souche paléo-mongole, ont toujours été pacifiques et de caractère enjoué. Les vingt-huit mille Apa Tani sont répartis en une dizaine de villages très compacts qui les distinguent des autres ethnies de la région dont les habitations sont généralement espacées les unes des autres. A côté de chaque maison, on peut découvrir d'étonnants mâts appelés *babous*. Ils symbolisent les esprits protecteurs de la famille. D'autres mâts beaucoup plus imposants sont érigés sur la place centrale pour les protecteurs du village et de la communauté dans son ensemble. Les bannières flottent aux vents, à l'image des drapeaux de prières tibétains.

Les villages ne sont pas de simples agglomérats de maisons. Ils sont organisés de part et d'autre de longues rues, selon un schéma généalogique précis. Les membres d'un même clan habitent les mêmes sections du village.

Les Apa Tani labouraient leurs terres à l'aide de bambous affûtés. La houe métallique n'est arrivée que très récemment sur le plateau, ce qui ne les a pas empêchés de développer des techniques agricoles très élaborées. Bien que l'agriculture représente la pierre angulaire de leur économie, la traction animale leur est restée inconnue jusqu'au milieu du siècle dernier.

Jusque récemment, les femmes avaient pour coutume d'orner leurs narines de deux petits disques de rotin noirci. On appelle cela des *yabinghulo*. Selon les Apa Tani, cette pratique aurait eu autrefois pour but de dissuader les hommes des tribus voisines de s'intéresser à leurs femmes. Au fil des temps, elle est devenue tradition puis critère de beauté pour préparer les jeunes femmes au mariage. Les femmes se tatouaient également de larges lignes bleues allant du haut du front jusqu'au bout du nez, et de la lèvre inférieure à la pointe du menton. Quant aux hommes, ils nouaient leurs cheveux au-dessus du front et ornaient ce chignon d'une tige de

cuivre. Seuls quelques anciens portent encore le traditionnel chignon et les tatouages rituels.

Il ne se passe pas une journée dans la vallée sans que prêtres et chamans ne sollicitent les esprits pour le bien d'une famille, d'une maison ou d'un village. Les cérémonies publiques sont célébrées sur l'une des plateformes installées au centre de chaque village. Les rites privés, eux, ont lieu à l'intérieur des maisons.
Les Apa Tani font appel aux puissances surnaturelles dans les situations critiques mais aussi pour les grands moments de leur vie. Ils croient que les événements néfastes sont causés par des mauvais esprits qu'ils essaient d'apaiser par des offrandes et des sacrifices. Ils croient également que les différents groupes ethniques de l'Arunachal Pradesh sont issus d'un ancêtre commun : Abotani.

Les rituels qui entourent par exemple le mariage peuvent s'étaler bien avant et bien après le début de la vie commune et parfois même après l'arrivée des premiers enfants. Les deux familles se réunissent généralement chez les parents de la mariée. A chaque extrémité de la maison, les prêtres chantent le *miji*, les incantations religieuses appropriées. Ces chants peuvent durer plusieurs heures. Le prêtre bénit un peu de riz et de bière de riz que le marié doit aussitôt avaler. A l'issue du grand repas collectif, la famille de l'épouse exhibe les nombreux présents qui constituent la dot de la jeune femme. Il est de bon ton d'en offrir le plus possible et de la plus belle qualité. Mais il est également de bon ton que le porte-parole de la famille du marié manifeste avec courtoisie son insatisfaction afin d'inciter la famille de la jeune femme à apporter toujours plus de cadeaux. Chaque nouvelle offrande en argent, en nourriture ou autre est aussitôt remise par le porte-parole au futur marié. C'est une question d'honneur.

Il en va tout simplement de la réputation des familles au sein de la communauté tout entière. Les convives défilent ensuite devant les mariés pour leur offrir des présents. La cérémonie se termine avec la confection d'un panier d'offrandes destinées aux esprits protecteurs et qui sera emporté par le couple jusqu'à la maison où il a choisi de vivre. Il est surmonté de deux calebasses symbolisant le soleil et la lune.

Dans ces montagnes isolées, il n'y a pas de temple car le divin rayonne à l'image du soleil, l'univers est son sanctuaire. L'omniprésence des esprits est caractérisée par de petites structures et autels en bambou autour des maisons. Les villageois y accrochent des figurines symboliques et parfois des œufs. Les Apa Tani considèrent que les dieux et les esprits jouissent d'une importance similaire. Depuis quelques années pourtant, on constate que le culte aux dieux Donyi-Polo (Soleil-Lune) est plus répandu. Les tenants de la spiritualité animiste pensent pouvoir unir, à travers ces deux symboles très forts que sont Soleil et Lune, les différentes ethnies animistes de l'Arunachal Pradesh. Ils espèrent ainsi parvenir à résister plus efficacement à l'expansion du christianisme introduit par les pasteurs baptistes des régions voisines mais aussi de l'hindouisme et de l'islam qui tendent à se développer avec l'arrivée de nombreux immigrants venus des autres Etats de l'Inde ou du Bengladesh voisin.

Les Apa Tani vénèrent en premier lieu le soleil et la lune, puis viennent les esprits de la forêt, des rivières, et tous les autres. C'est le prêtre *(nyibu)* qui intercède pour les vivants auprès de l'univers divin. Il connaît le *neli*, la technique qui permet d'entrer dans le monde parallèle où demeurent les puissances surnaturelles et les âmes des défunts. Il n'est pas seulement le médium par lequel les esprits s'expriment, il est aussi le dépositaire des coutumes sacrées de la tribu.
Le *nyibu* doit savoir psalmodier pendant des heures, raconter les mythes et les légendes pertinentes, invoquer les esprits concernés. Il les prévient qu'il procède à ce sacrifice et à ces prières pour le bonheur de la famille qui habite cette maison. Il leur demande d'aider la famille à surmonter les épreuves si quelque événement dramatique venait à survenir au cours de leur vie. Après avoir préparé des représentations d'animaux mythiques, le prêtre procède au sacrifice sur un petit autel de bambou. Un poulet et un œuf fécondé vont permettre de chasser les mauvais esprits de la maison. La lecture divinatoire du cœur de l'animal sacrifié, son aspect, ses éventuelles imperfections ou particularités apportent la réponse des esprits.

Chez les Apa Tani, les Nyshi ou les Gallo, une cérémonie peut occuper toute la communauté pendant plusieurs jours. Les

femmes préparent d'importantes quantités d'*apong*, la bière de riz qui accompagne tous les rituels.

On confectionne des structures en bambou de toutes les formes et de toutes les tailles, représentant le monde des esprits. Les chants lancinants des prêtres rythment les préparatifs. Les femmes font le tour des convives et remplissent de bière de riz les récipients en bambou. La poudre de riz est appliquée sur le visage de chacun comme une offrande supplémentaire. Elle permet aux esprits qui entourent les personnes présentes de se reconnaître. C'est aussi une bonne occasion de s'amuser... Plusieurs femmes versent sur le sol, à travers une structure symbolique de bambou, un peu d'*apong* pour honorer la terre mère. Coiffés de parures en plumes, les prêtres exécutent des allers-retours le long d'un mur d'offrandes qui symbolise la frontière entre le monde des vivants et l'univers intemporel des esprits. Ils récitent des chants de louange à la mémoire des ancêtres. La doyenne du village est invitée à bénir, par apposition des mains, toutes les offrandes, des chèvres, des porcs, des volailles, et, lors des cérémonies les plus importantes, des vaches ou des mithuns. Les animaux destinés au sacrifice sont amenés au pied du mur de bambous et des autels temporaires. Puis, les prêtres leur appliquent un peu de poudre de riz, leur demandent pardon et consacrent leurs âmes pour qu'elles soient en paix avant de rejoindre l'univers des esprits. L'âme de chaque

animal va accompagner l'esprit d'un ancêtre et veiller sur un vivant bien défini du village. Le prêtre attribue le nom de ce dernier à l'animal. La lecture divinatoire des entrailles détermine la destinée de la personne. Si les esprits sont satisfaits du sacrifice, son destin n'en sera que meilleur.

Même si elle semble encore bien vivante, la spiritualité animiste des peuples de l'Arunachal Pradesh est menacée. Après avoir longtemps été bannis de ces territoires vierges, les missionnaires baptistes s'installent désormais dans les villes principales d'où ils étendent leur influence jusque dans les villages les plus isolés. Dans tout l'Arunachal Pradesh, les nouveaux convertis sont sollicités par les pasteurs pour construire des temples et des églises. Partout, les villages se transforment. Les enseignements des anciens sont ignorés, les rituels fondateurs ébranlés, les racines coupées. La division des familles, des clans et des villages est désormais consommée.

Le Donyi Polo, cette religion nouvelle qui vénère les astres majeurs Soleil et Lune, réunit les spiritualités animistes des différentes ethnies de l'Arunachal Pradesh et s'érige aujourd'hui comme un rempart contre l'expansion des Eglises chrétiennes. Mais les uns après les autres, les drapeaux au soleil rouge qui symbolisent le culte Donyi Polo, sont remplacés par l'étoile chrétienne.

Patrick Bernard

Si je vais quelque part et qu'on me demande qui je suis, je suis fier de dire que je suis animiste, que j'appartiens à cet endroit, à cette terre, à cette nature. Je ne veux pas devenir chrétien car je n'en connais ni l'origine, ni le présent, ni le futur alors que ma propre spiritualité et mes traditions m'ont été enseignées par mes ancêtres. C'est bien celles-là que je compte transmettre à mes propres enfants !
A cause du christianisme, nos villages sont désormais divisés. Lorsque les Apa Tani organisaient leur grand festival Muico, tous les habitants des autres villages venaient y participer. De nos jours, les chrétiens n'acceptent plus de participer à aucun festival traditionnel. Ils ont choisi de couper les liens avec leur propre famille et les esprits de leurs ancêtres. Ce n'est pas bon signe !

Nyibu Apa Tani

LES ROIS WANGSHO

Derniers seigneurs konyak

Les pistes de l'Arunachal Pradesh se perdent jusque dans les montagnes de Birmanie. C'est là, aux frontières de l'Etat Indien du Nagaland et de la Birmanie, que survivent plusieurs royaumes tribaux qui ont longtemps été isolés du reste du monde et redoutés par leurs voisins : les Wangsho Konyak, dont la réputation de chasseurs de têtes s'est propagée bien au-delà de ces horizons lointains.

Leurs villages sont situés au sommet des montagnes d'une vaste région des confins de l'Inde et de la Birmanie. Elle s'étire au Nord de l'Etat du Nagaland jusque dans les montagnes du Tirap en Arunachal Pradesh et au-delà de la frontière birmane. Ces peuples sont des chasseurs mais surtout de talentueux agriculteurs qui de tout temps ont veillé jalousement sur leurs territoires au point que même les armées coloniales les plus aguerries de l'ancien empire des Indes britanniques redoutaient de s'y aventurer. La position stratégique des villages wangsho et konyak leur permettaient de contrôler tout mouvement ennemi.

Totalement isolés jusqu'au début des années 1980, les Wangsho Konyak ont préservé une organisation sociale héritée de leurs ancêtres. Elle repose sur un modèle hiérarchique établi autour de rois et de leur cour. Polygames, les rois wangsho peuvent avoir plusieurs reines. On les reconnaît à leurs colliers, leurs bracelets, leur longue chevelure et à leur serre-tête en perles. Le roi, qu'on appelle ici *ang*, exerce son influence sur plusieurs villages. On le consulte en cas de conflit ou pour des décisions importantes. Il est assisté d'un « conseil des anciens ». Le roi décidait autrefois des expéditions de chasse aux têtes. De nos jours, il fixe, en accord avec les chamans, le calendrier des cérémonies, des semailles et des récoltes. Ses épouses lui ont été offertes par les chefs des villages sur lesquels il exerce son pouvoir. Elles doivent être issues du même clan que lui afin de préserver la lignée royale. Certains peuvent avoir une dizaine de femmes. Le roi peut également exiger un impôt des familles qui dépendent de lui. Il s'agit en général d'une partie de la récolte ou de services. Ses sujets lui apportent du bois de chauffage ou participent aux tâches domestiques de la cour du roi. La maison de la famille royale est la plus imposante de la région. Elle abrite les tambours de cérémonie ainsi que les représentations statuaires des ancêtres et des divinités qui protègent la tribu.

Les Wangsho Konyak étaient convaincus qu'ils ne pourraient résister aux caprices de la nature et assurer la fertilité et la prospérité de leur clan qu'en s'alliant l'âme de valeureux ennemis. L'expédition de chasse aux têtes était précédée de nombreux rituels pour que les guerriers trouvent le courage d'accomplir le sacrifice suprême. L'approche se faisait un peu avant le lever du jour dans le plus grand silence. Les ennemis étaient attaqués par surprise. L'introduction des armes à feu dans le courant du XXe siècle a entraîné des excès dévastateurs. Le nombre de victimes s'est dès lors considérablement accru.

Les Wangsho sont convaincus de la survivance de l'âme et du rôle important qu'elle a à jouer après la mort. L'âme est censée revenir dans le crâne de la personne ou de l'animal sacrifié en offrande aux esprits majeurs. Elle est assurée d'une vie après la mort sereine et comblée.

C'est en grande partie pourquoi les chasseurs n'éprouvaient pas de culpabilité à ôter la vie. Ils considéraient au contraire leur geste comme un bienfait, tant pour la victime dont l'âme allait jouir d'une belle destinée, que pour la communauté.

Les Wangsho Konyak entreposaient les crânes dans des cavités funéraires, creusées sous des ensembles de pierres. Aujourd'hui les missionnaires baptistes leur défendent de conserver les crânes. Seuls quelques rois bravent encore cet interdit. On n'expose plus de nos jours sur les frontons des maisons au autour des menhirs et des dolmens funéraires que les crânes des buffles et des mithuns. L'esprit du mithun sacrifié à l'occasion des funérailles est censé servir de monture à l'âme du défunt pour rejoindre le royaume invisible des esprits. Cette fonction de guide céleste se retrouve chez la plupart des ethnies montagnardes de l'Arunachal Pradesh.

Depuis le début des années 2000, la percée des Eglises évangéliques et l'avancée du monde moderne s'accentuent. Appâtés par les promesses d'une vie plus facile, des aides matérielles et des possibilités de scolarisation pour leurs enfants, des villages entiers tombent de nos jours sous la coupe des évangélistes. Les relations entre les générations sont bouleversées. Les anciens ne sont plus écoutés, ils sont moqués voire méprisés par les plus jeunes dont beaucoup ont perdu tout repère.

Le Mahatma Gandhi considérait la conversion comme « Le poison le plus mortel qui ait jamais sapé toute source de vérité. Si les missionnaires ne sont pas capables de rendre un service désintéressé, si le prix de leur charité est la conversion, alors je préfère qu'ils quittent l'Inde. »

Dans un monde qui ne parvient toujours pas à accepter les différences, les voix des derniers rois et chamans de l'Arunachal Pradesh se perdent dans les abîmes de l'histoire.

Patrick Bernard

S'il faut se ressembler un peu pour se comprendre
il faut être un peu différent pour s'aimer.

LE CHOC DES CULTURES

Depuis le début des années 1980, un groupe de travail sur la question des peuples autochtones se réunit tous les ans au palais des Nations à Genève.
Son objectif est d'élaborer une charte des droits des populations autochtones. Les représentants d'ethnies indigènes du monde entier comptent bien faire entendre ici la voix de leur peuple et progresser ainsi vers une véritable reconnaissance par la communauté internationale.

En 1992, les Etats-Unis et les anciennes nations colonisatrices célèbrent le cinquième centenaire de la conquête des Amériques. Cet anniversaire est aussi celui de l'un des plus grands génocides que l'humanité ait commis. L'évangélisation et la conversion forcée des populations autochtones à nos modes de pensée et de société servaient alors de justification à la colonisation des terres et des ressources naturelles des premières nations. En réaction, et sous la pression des associations autochtones et des associations de solidarité qui les épaulent, le prix Nobel de la paix de cette même année 1992 fut décerné à une Indienne maya quitché du Guatemala, Rigoberta Menchú Tum. Un symbole fort qui marqua à la fois la naissance du processus de renouveau indigène et qui rappelle que, loin d'être des peuples arriérés ou archaïques, comme le voudrait une certaine interprétation collective, la plupart des peuples autochtones étaient des sociétés matriarcales où la femme avait un rôle prédominant.

L'année suivante, les Nations unies déclarent 1993 année internationale des Populations autochtones. Cette reconnaissance a permis l'émergence de nombreuses associations indigènes ainsi que d'un grand mouvement de solidarité à travers la planète. Dans la foulée, l'Unesco a déclaré la décennie 1994-2004 décennie des Cultures autochtones au niveau mondial.

Ces peuples – derniers témoins en sursis de pans entiers de la famille humaine – sont bien déterminés à reconquérir leur dignité. En Amérique du Sud, l'exemple du peuple de Bolivie qui, après des années de dictatures alliées aux intérêts des multinationales nord-américaines ou européennes, porta au pouvoir le premier président amérindien de toute l'histoire des Amériques, illustre bien l'émergence de ce renouveau autochtone après cinq siècles de domination des descendants des anciens pouvoirs coloniaux.

Pendant ce temps, sur le toit du monde, le peuple tibétain entend lui aussi ne pas se laisser briser dans l'indifférence.

L'arène internationale

Depuis le début des années 1990, on voit peu à peu les peuples autochtones les mieux structurés brandir l'arsenal juridique international pour défendre leur droit à la terre, à une certaine forme d'indépendance, à leur spécificité culturelle. Ils veulent désormais se réapproprier leur destin et se positionner en garants de la préservation de leurs droits légitimes.

« Avant de venir, nous dit une représentante de la communauté bédouine d'Israël, je pensais que mon peuple était le seul à avoir perdu ses terrres, à lutter pour le respect de

ses droits. Mais je me rends compte qu'il y a beaucoup de peuples autochtones dans le monde qui se battent pour leurs droits, et qu'ils existe beaucoup de similitudes entre nous, je sens vraiment que nous faisons partie de cette grande famille des peuples autochtones disséminés dans le monde. »

L'ONU adopte la déclaration des Peuples autochtones le 1er septembre 2007.
Quatre pays majeurs et concernés par la question autochtone ont cependant refusé de signer la charte : les Etats-Unis, le Canada, la Nouvelle-Zélande et l'Australie, onze autres se sont abstenus. Malgré cela, la communauté internationale se dote enfin d'un instrument juridique à portée universelle entièrement consacré à la reconnaissance et à la promotion des droits des communautés indigènes. Les droits à la terre et aux ressources naturelles y sont inclus. La déclaration prévoit même un droit de réparation en cas de spoliation avérée.

Il est toutefois des ethnies dont la survie relève aujourd'hui de l'utopie ; il s'agit des plus marginalisées et sûrement aussi des plus sages de tous les peuples indigènes : les derniers chasseurs-cueilleurs et les derniers grands nomades. A moins d'une prise de conscience immédiate de la communauté internationale se traduisant sans délais par de vraies mesures de protection de leurs territoires de transhumance et de leurs forêts nourricières, il n'y a malheureusement plus d'espoir de les voir survivre aux premières décennies du troisième millénaire.

Touches de couleurs rebelles à la mondialisation, les derniers peuples sages, constituent si l'on veut bien entendre leurs enseignements, un souffle d'espoir pour les défis vitaux que les prochaines générations vont avoir à relever. Parmis ces défis, elles auront à redéfinir la relation de l'homme à la nature mais aussi à mener le nécessaire combat contre l'uniformisation des peuples de la planète sur le modèle occidental. Cette prise de conscience-là est aussi cruciale qu'urgente, si notre famille humaine veut préserver toutes ces diversités qui participent à son fragile équilibre.

Depuis le début des années 1990, les choses avancent à petits pas, mais le chemin à parcourir reste encore très long et il y a fort à craindre qu'aujourd'hui, du fait de l'avidité grandissante des firmes transnationales dont le pouvoir supplante désormais celui des politiques, nombre de peuples, de langues, de cultures autochtones ne s'éteignent à jamais.

L'expropriation des terres indigènes et leur colonisation, qu'elle ait été brutale ou progressive, ont toujours été précédées, accompagnées, ou suivies par l'intervention des missionnaires des différentes églises chrétiennes. De nos jours, les missionnaires des Eglises évangéliques américaines ou coréennes se substituent rapidement aux missionnaires catholiques, précurseurs de ce qu'il est convenu d'appeler « l'œuvre missionnaire » avec ses côtés lumineux ou plus sombres. Ces Eglises sont généralement dotées de moyens financiers considérables qui leur permettent de s'installer aisément là ou elles le souhaitent, y compris dans les régions les plus isolées ou les plus protégées. Elles y bâtissent des écoles qui pallient le déficit des Etats en la matière et qui leur permettent d'ancrer dogmes et messages religieux au cœur des sociétés autochtones et des familles en touchant directement leurs enfants et en brisant les rapports entre les générations.

Si les peuples d'agriculteurs sédentaires avaient déjà, à la différence des chasseurs-cueilleurs, développé un sens aigu de la propriété et mis en place des sociétés hiérarchisées, parfois guerrières, pour défendre leurs ressources agricoles, la rencontre avec le monde du dehors et les entreprises coloniales menées par l'Occident a été le plus souvent extrêmement brutale. Adelard Blackman, leader des Indiens déné qui habitent le Grand Nord canadien, a été on ne peut plus clair lorsque avec Hervé Valentin, coordonateur de notre association ICRA International, nous l'avons rencontré dans les couloirs des Nations unies à Genève à l'occasion des discussions autour de la charte des droits des populations autochtones : « Il y a une chose que les gens doivent comprendre c'est que 85 % des ressources naturelles du monde se trouvent sur des territoires autochtones et ce problème n'a pas été résolu. Ils continuent de prendre et de prendre au nom du progrès. Tout ceci doit s'arrêter, les gens doivent surveiller ce qu'ils font non seulement aux peuples autochtones du monde mais à la terre mère. »

Partout sur la planète, les droits des peuples autochtones sur leurs propres terres sont bafoués au prétexte qu'ils ne possèdent pas de titres légaux de propriété. En effet leurs revendications territoriales s'appuient sur les droits ancestraux qu'ils estiment détenir sur des terres où plusieurs générations de leurs ancêtres ont vécu et qu'elles ont préservées jusqu'à nos jours.

En Amazonie, au Brésil, au Pérou, au Venezuela, en Equateur, en Bolivie, les entreprises minières, pétrolières, les multinationales de l'énergie ou de l'agroalimentaire négocient avec les gouvernements leur mainmise sur de vastes territoires sans qu'à aucun moment les peuples indigènes concernés ne soient consultés alors que ce sont bien leurs terres qui sont l'objet de ces transactions. Cette situation se retrouve aujourd'hui un peu partout sur la planète, en Asie, en Indonésie, en Afrique où les multinationales nord-américaines, européennes, russes et chinoises s'approprient des territoires immenses qu'elles louent ou achètent aux gouvernements locaux. Les expropriations et les déplacements de populations qui découlent de cette nouvelle forme de colonisation plongent les peuples qui en sont victimes dans la dépendance et la précarité.

Beaucoup, à l'image des derniers Bushmen d'Afrique du Sud ou des ethnies montagnardes de Birmanie, vivent aujourd'hui entassés dans des camps de relocalisation ou des camps de réfugiés. La perte de leurs repères pour tous ceux qui y vivent et pour les enfants qui y naissent entraîne toujours de graves problèmes liés à l'alcolisme ou à la dépendance.

Un peu partout sur la planète, les victimes de ces expropriations et de ces déplacements de population viennent grossir les bidonvilles autour des grandes villes. A Oulan-Bator, en Mongolie, ce sont des dizaines de milliers de nomades qui, chaque année, sont contraints d'abandonner la steppe pour rejoindre les campements de yourtes qui s'étalent à la périphérie de la capitale.

L'enfance en errance

Beaucoup des enfants de ces ethnies minoritaires se retrouvent à errer dans les villes où les attendent la délinquance, la drogue, la prostitution. Ils sont nombreux dans les rues des villes thaïlandaises de la zone frontalière avec la Birmanie, des villes champignons du bassin de l'Amazone, dans les quartiers des cités africaines et mêmes de capitales comme Bogotá en Colombie, Nairobi au Kenya, Oulan-Bator en Mongolie ou Kathmandu au Népal.

Au Népal – petit pays du toit du monde enclavé entre l'Inde et la Chine –, les vallées himalayennes abritent une soixantaine d'ethnies d'une étonnante diversité. Parmi elles, on trouve les Magar, les Gurung, les Tamang, les Shepang, les Bothia, les Thakali et les Rai ou les Sherpa. Toutes partagent le pays avec les Indo-Népalais d'origine indo-européenne qui habitent principalement la vallée de Kathmandu, la capitale, et les basses terres du Sud à la frontière de l'Inde voisine. Les difficultés de la vie quotidienne, poussent de nombreuses familles issues de ces ethnies à rejoindre les quartiers pauvres de la capitale. Elles n'y trouvent pas la vie rêvée qu'elles espéraient.

C'est en général parmi les enfants de ces ethnies défavorisées que l'on compte le plus grand nombre d'enfants des rues de Kathmandu. Ils vont de petits boulots en petits boulots pour essayer de gagner péniblement les quelques piécettes de la survie de toute une famille désœuvrée. Ces familles n'osent pas rentrer chez elles, elles sont le plus souvent rongées par le déshonneur, et surtout trop dignes pour devoir se résoudre à demander l'aide de leurs cousins et amis restés dans la montagne.

Dès les premiers jours de notre séjour népalais, nous sommes partis avec Santosh, responsable de *Kushi*, une petite

association qui s'occupe des enfants des rues de Kathmandu, pour un village shepang, perché dans un paysage bucolique à flanc de montagne à moins d'une centaine de kilomètres de la capitale bruyante du Népal. L'accueil qui nous a été réservé par ces villageois très pauvres restera pour toujours gravé dans nos cœurs et nos mémoires tant ils ont été chaleureux, amicaux et tant les bons moments passés ensemble ont été intenses et forts. Les Shepang sont d'origine tibéto-birmane et bouddhistes mais l'animisme demeure très présent voire dominant. Les chamans jouent un rôle essentiel pour ces petites communautés d'agriculteurs et d'apiculteurs. Les Shepang font appel aux chamans pour conjurer la maladie ou le mauvais sort et se mettre en accord avec les esprits de la nature et des ancêtres.
Souvent exploités par les gens de castes, les Newar et les Indo Népalais, les Shepang qui appartiennent au groupe plus important des Tamang, font partie des ethnies les plus pauvres du Népal.

Dans les rues de la capitale népalaise, leurs enfants ramassent et trient les ordures ménagères, ils aident aux crémations, proposent de petits services aux pèlerins et dévots des temples bouddhiques ou hindouistes… Drogue et prostitution sont le lot de beaucoup d'entre eux, et pourtant la joie de vivre accompagne chacun des instants de ces quotidiens malmenés par une destinée tellement éloignée de leurs rêves d'enfants. C'est dans ce contexte difficile, souvent cruel, que les histoires croisées des enfants de Kushi s'écrivent. Originaires généralement des ethnies montagnardes, ils ont entre quatre et seize ans. Ce sont principalement des garçons. Les filles représentent 10 % des enfants des rues. Elles sont moins visibles et travaillent comme domestiques, ouvrières ou prostituées.

Chaque fois qu'un peuple est brisé et sacrifié sur l'autel de la « civilisation », chaque fois qu'une langue, une culture, une spiritualité meurt, l'humanité est orpheline d'une partie d'elle-même. Parce que nous le savons, et parce que savoir et ne rien faire c'est cautionner, il ne tient qu'à nous, à travers cette prise de conscience, de contribuer à sauvegarder notre humanité arc-en-ciel pour que nos enfants et les enfants de nos enfants puissent encore espérer s'enrichir à la source inépuisable de leurs différences.

PATRICK BERNARD

RENOUVEAU ANDIN

Le retour du soleil

A la fin des années 1970, je séjournai pendant plus d'un an en Bolivie, sur l'Altiplano, à 4 000 mètres d'altitude, parcourant les pistes indiennes des hautes vallées andines aux forêts du bassin amazonien. Je fis la connaissance de deux musiciens bourrés de talent, Hugo Gutierrez et Rodolfo Choque. Ils chantaient la soif de justice et d'égalité de l'Indien blessé par cinq siècles de pouvoir colonial et post-colonial qui succédèrent à deux siècles de domination inca. Le groupe qu'ils fondèrent, Kala Marka, devint plus tard le souffle et le symbole de tout un peuple fier de son identité, de sa spiritualité et de ses traditions.

Au début des années 1980, Hugo et Rodolfo ont dû quitter la Bolivie du dictateur Banzer Suárez. Comme de nombreux Indiens de leur génération, artistes ou étudiants, ils ont choisi de s'exiler à la recherche de cette liberté d'expression qu'en leur propre pays, les dictatures successives leur avaient volée. En 2006, le premier président amérindien de toute l'histoire des Amériques était élu à la tête de la Bolivie. Nous décidâmes, Ken et moi, de répondre à l'invitation de nos amis et de retourner sur place en leur compagnie. Je retrouve Hugo et Rodolfo sur les berges du lac Titicaca d'où ils nous entraînent dans leurs villages natals, villages de pierres d'où ils livrèrent aux vents de la cordillère leurs premières notes, leurs premiers chants...

Dès l'adolescence nos deux amis décidèrent de « monter » à la capitale. Ces années 1970 n'étaient pas faciles à vivre pour les Indiens de Bolivie. Ils représentaient pourtant 65 % de la population mais étaient traités comme une minorité marginale exploitable et corvéable à merci. Au pied du mont Illimani, La Paz était pour l'Indien un univers inaccessible. Les Amérindiens restaient confinés dans les quartiers des hauteurs, le centre et le sud de la ville leur étaient interdits et réservés aux Blancs et métis qui tenaient les rênes des pouvoirs économique et politique.

Hugo et Rodolfo nous présentent Fernando Huanacuni. Il fut missionné par les prêtres aymara pour aller rejoindre comme il le pouvait les montagnes de l'Himalaya, et s'intégrer au sein des monastères tibétains. Fernando, qui fut initié par les plus grands sages de l'Altiplano, le fut également par les maîtres de la spiritualité tibétaine. Il remplit sa mission en rapportant sur l'Altiplano l'énergie qu'il avait reçue des habitants et des sages de l'autre toit du monde. « Le bouddhisme est une culture du respect et la culture andine est aussi une culture du respect. C'est une constante qui m'a surpris parce que là-bas on respecte toutes les expressions de la vie. Ici aussi dans les Andes l'harmonie est une constante. Notre référence cosmique c'est la Chakana, la constellation de la Croix du Sud. Ce sont quatre étoiles de référence qui délimitent notre existence, notre organisation sociale et nos principaux symboles. Nos grands-pères nous disent que nous sommes les fils de Pacha Mama, la terre mère, et de Pacha Q'ama, l'invisible qui nous alimente, anime et gère toute vie sur terre. C'est de cette force qui nous unit qu'émerge l'*ayllu*, la communauté… Chez les Tibétains, on conçoit également que l'on ne peut pas changer une société s'il n'y a pas une conscience de l'intérieur du cœur. C'est la même chose ici. Nos anciens nous ont toujours dit que meilleur moment pour briller, c'est pendant l'obscurité. Cet état, nous l'appelons *willka*, le soleil sacré. »

Si le catholicisme imprègne aujourd'hui nombre de rituels de la vie quotidienne de la cordillère des Andes, il n'est dans l'esprit de l'Indien qu'un ensemble de rites imposés par les conquérants, qui se sont superposés au fil du temps à la spiritualité ancestrale. Une spiritualité gardée dans le silence des mémoires mais restée bien vivante dans le cœur de l'Indien grâce à la transmission orale.

Chantres de la poésie et de la musicalité amérindiennes, Hugo et Rodolfo sont devenus tout naturellement les porteurs d'espoir de tout un peuple. Leur musique est une passerelle vivante entre les discours des leaders politiques, la parole des sages et une jeunesse impatiente de retrouver son identité et sa fierté.

Nous accompagnons Hugo, Rodolfo et leurs musiciens du groupe Kala Marka dans une grande tournée de concerts qui les conduira à Oruro, Potosí, Sucre, Cochabamba, Copaca-

bana et de nombreuses autres villes à travers le pays. Avant de s'engager sur les routes de l'Altiplano, Don Valentin, un *amawta*, un des prêtres les plus respectés, nous conduit au sommet d'une colline sacrée entre ciel et terre pour invoquer Pacha Mama et Pacha Q'ama. Il leur demande de placer la tournée sous leur protection et leur bienveillance. Don Valentin recouvre le fœtus de lama de feuilles d'or et d'argent puis il le présente aux quatre points cardinaux, avant de le livrer en offrande sur le bûcher.

Première étape : Peñas, un lieu symbolique de la résistance amérindienne dans la cordillère des Andes. Cette résistance ne date pas d'hier, elle prend sa source dans le sacrifice du grand Túpac Katari.
C'est ici qu'il fut arbitrairement jugé et écartelé par les conquistadores espagnols après que son âme aivait été livrée au Dieu des catholiques par le prêtre inquisiteur. Et c'est ici que, juste avant de mourir, il prononça ces mots : « Je reviendrai et nous serons des millions. » Peñas est aujourd'hui un village tranquille de *campesinos*. Ici, comme un peu partout dans la cordillère, les Indiens cultivent le *quinoa*, la pomme de terre, et élèvent quelques lamas.

Nos musiciens se rendent ensuite dans la ville minière de Potosí où ils sont accueillis en fanfare par la population en liesse. Le concert se déroule en extérieur au pied de l'imposant Cerro Rico, la montagne riche comme l'appellent les Amérindiens. On dit qu'avec tout l'argent que l'on a extrait de cette montagne, on pourrait construire un pont entre la Bolivie et l'Espagne et encore deux autres avec les ossements de tous ceux qui sont morts dans ses entrailles. Aujourd'hui encore les mineurs pénètrent quotidiennement dans la montagne tueuse pour en extraire ce qu'il reste de minerai de quelque valeur. La feuille de coca leur permet de tenir trente-six heures d'affilée. Il y a quelques années encore, de tout jeunes enfants y étaient envoyés.

Cet après-midi, dans le grand stade de Potosí, les musiciens de Kala Marka se préparent pour le grand concert de ce soir. Quelques étudiants répètent la danse du *tinku*. Un rite ancestral qui, chaque année, au moment de la fête de la Croix, voit les *campesinos* converger de partout vers un village isolé où ils s'opposent dans des luttes sanglantes. Il y a une vingtaine d'années, j'ai pu être témoin de ce rituel empreint tout à la fois de violence et de spiritualité dans le village de Macha.

Les paysans avaient coiffé ces étranges casques de cuir qui rappellent les casques des conquistadores. Tous étaient déterminés à verser leur sang en offrande à la Pacha Mama. Ils se sont affrontés pendant trois jours dans des combats acharnés. Exutoire ou exorcisme de cinq siècles d'oppression et de souffrance, le sang versé lors du *tinku* symbolise le sang, les larmes et la sueur versés par les ancêtres avant l'ère nouvelle tant espérée.

Au début des années 2000, deux tiers des Boliviens vivent sous le seuil de pauvreté dans les campagnes et à la périphérie des grandes villes. Le 11 janvier 2005, une grève générale de trois jours conduit à l'expulsion de la compagnie française Suez-Lyonnaise des Eaux. Associée à la Banque mondiale, elle contrôlait le marché de l'eau en Bolivie depuis 1997. Cette privatisation au profit d'une compagnie étrangère peu scrupuleuse eut pour conséquence de faire grimper le prix de l'eau dans des proportions jamais égalées. Les habitants des quartiers indigènes de La Paz et d'El Alto se révoltèrent en masse. A la surprise de tous, la police changea de camp pour résister aux côtés des manifestants contre les forces armées dépêchées par le gouvernement. Il y eut ce jour-là des blessés et des morts mais la détermination populaire ne pouvait plus être brisée. Le président de l'époque, Carlos Meza, fut contraint de mettre un terme au contrat de l'entreprise française. Cette révolte allait asseoir les mouvements populaires indigènes et leur donner une crédibilité incontestable. Les partis issus des mouvements syndicaux se trouvèrent dès lors mis en selle dans la perspective des élections présidentielles de 2005. Parmi eux, le MAS, le Mouvement pour le socialisme andin, dirigé par le syndicaliste *cocalero*, Evo Moralès.

La musique de Kala Marka accompagnait ce jour de janvier 2006 où un Indien issu de la classe populaire se hissait au sommet de la nation et devenait le symbole des peuples enfin libérés de leurs chaînes. Evo Morales, fils d'une mère quechua et d'un père aymara, était le premier président amérindien. Initié à la lutte sociale parmi les paysans *cocaleros* (cultivateurs de coca), Evo Moralès symbolise l'espoir de tous les laissés pour compte du pays après des décennies de pouvoir sans partage des oligarques blancs et métis. Il n'y a pourtant ni haine ni amertume dans ce mouvement indigène et, si le nouveau gouvernement compte pour la première fois

dans l'histoire du pays autant de ministres, de députés et de sénateurs amérindiens, nombre de hauts responsables sont – à l'image du vice-président Alvaro Garcia Linera – issus de la population blanche ou métis.

« Ce matin sur la place historique, la place Murillo, et sur la place San Francisco j'ai vu chanter les gens. Il y a quarante ans nos ancêtres n'avaient même pas le droit de rentrer sur la place San Francisco ni sur la place Murillo. »
C'est par ces mots qu'Evo Moralès commença son discours d'investiture à la responsablilité suprême.

Après que plusieurs Etats d'Amérique du Sud comme le Brésil ou le Venezuela furent parvenus à la fin des années 1990 à s'affranchir, au moins partiellement, du post-colonialisme et de la tutelle nord-américaine, la Bolivie, ce petit pays oublié du monde, voyait converger vers lui tous les regards. Les chantiers entrepris sont considérables. La réforme agraire avec la restitution aux paysans de dizaines d'hectares, la protection des ethnies les plus fragilisées jusqu'aux grandes réformes destinées à redonner un nouveau souffle dont toutes les couches de la population profiteraient.

Les gouverneurs des provinces les plus riches de la région de Santa Cruz, soutenus par les multinationales, multiplièrent les tentatives de déstabilisation. Evo Moralès échappa à plusieurs tentatives d'assassinat et parviendra à faire adopter la nouvelle constitution sans se laisser entraîner vers un durcissement du pouvoir. L'un de ses ministres s'est exprimé ainsi lors de la première rencontre continentale indigène de l'Abya Yala. : « L'objectif du mouvement Pachakuti, qui signifie le retour à l'équilibre, c'est de retrouver notre complémentarité plus encore que notre liberté. L'équilibre plus encore que la justice, notre identité plus encore que notre dignité. Cela fait trop longtemps que nous ne sommes plus, nous voulons être de nouveau ! »

Partout, des forêts amazoniennes aux berges du lac Titicaca, la tradition indienne renaît à travers des festivals traditionnels qui permettent à chacune des nombreuses nations indigènes du pays d'exprimer sa fierté retrouvée. La nouvelle politique éducative est modifiée en profondeur, ainsi les langues amérindiennes sont désormais enseignées à côtés de l'Espagnol dans les écoles boliviennes. La culture et les traditions locales sont remises au goût du jour.

Le 22 juin, jour du solstice d'été, les anciennes traditions amérindiennes de la cordillère des Andes et la spiritualité des ancêtres, enfouies jusque-là dans la mémoire blessée de l'Indien, sont remises au goût du jour. Le Willka Kuti, le retour du soleil, est célébré sur le site millénaire de Tiwanaku par les grands prêtres aymara et par le président Evo Morales lui même. Il symbolise ce vent de renouveau qui se lève aujourd'hui non seulement sur la Bolivie mais sur l'ensemble de la planète des premières nations.

Peu de temps après son investiture, et pour la première fois depuis l'époque coloniale, Evo Moralès bouscule le protocole. Sur le site de Tiwanaku, accompagné par les prêtres de la tradition aymara, les *amawta*, il rend hommage à la terre mère, lui fait l'offrande sacrée du fœtus de lama avant de recevoir des mains de Don Valentin le sceptre sacré qui symbolise le lien avec le monde invisible.
Avec ce retour à des rites abandonnés depuis si longtemps comme le Willka Kuti, le peuple des Andes assiste à la renaissance de toute une spiritualité enfouie sous des siècles d'une histoire tourmentée.

Tout au long de cette nuit sans sommeil, la flûte andine, le charango, les guitares, les tambours et les voix de Kala Marka enveloppent Tiwanaku.

Fernando est là aussi bien sûr, aux côtés de ses amis. Devenu, dès 2009, chef de la diplomatie au sein du gouvernement d'Evo Moralès, sa voix est aujourd'hui l'une des plus écoutées et des plus respectées de Bolivie.
« Demain , à l'heure où le soleil nouveau va nous apparaître, nous allons élever la voix de Tiwanaku pour qu'elle soit entendue du monde entier. Depuis Tiwanaku, nous allons proposer à l'Occident qui nous a entraînés sur les chemins de l'individualisme le changement et l'éveil d'une ère nouvelle. A partir de Tiwanaku va se révéler une nouvelle étape, le retour à la communauté des hommes dans leurs diversités. *Jallalla !* »

A trois heures du matin en cette nuit du 20 au 21 juin, le froid glacial n'a pas retenu la foule des pèlerins. Les offrandes sont livrées aux flammes par le président Evo Moralès et par les maîtres de cérémonie devant la porte du Soleil. Don Valentin, les bras levés vers le ciel, les mains tournées vers le soleil levant, clame : « Frères et sœurs levez les mains ! Accueillez notre père soleil. *Jallalla !* Levez-vous peuples du monde entier. Levez-vous peuples originels ! »

La foule lève les mains face au soleil naissant pour recevoir son énergie. Il apparaît en ce solstice d'été comme un astre d'espoir venu occulter les temps de la honte et de la soumission pour projeter sur la planète des hommes la lumière vivifiante d'une ère nouvelle.

A l'aube de ce 22 juin, le peuple des Andes et les pèlerins venus du monde entier dansent autour du wiphala, le fier drapeau aux carrés multicolores qui symbolise la renaissance de l'âme indienne.

Si le socialisme affiché de ce nouveau gouvernement qui se dit héritier de la ligne tracée sur son propre sol par Che Guevara semble incontournable vu de l'extérieur, nous sommes bien aujourd'hui en Bolivie au cœur d'un mouvement de renouveau de l'identité et de la spiritualité indigènes extrêmement profond. Le chemin est encore long, parsemé de maladresses, d'obstacles, de désillusions, mais la prise de conscience universelle ne peut plus être ignorée aujourd'hui.

PATRICK BERNARD

D'UN EXIL A UN AUTRE

Les Karenni

Dans les montagnes de Birmanie, qui enserrent la grande vallée de l'Irrawaddy et étendent leurs sommets boisés aux frontières du Bangladesh et de l'Inde à l'ouest, de la Chine au nord, du Laos et de la Thaïlande à l'est, vivent de nombreuses ethnies montagnardes. Agriculteurs, les Naga, les Kachin, les Shan, les Pao, les Akha, les Kayan, les Kayoh ou les Karen ou les Rohingya de Birmanie vivent un calvaire depuis les lendemains de l'indépendance birmane et le coup d'Etat militaire de 1958 qui livra le pays aux mains d'une junte corrompue et sanguinaire. Intégrées de force dans l'union birmane, les populations montagnardes résistent depuis plus de soixante ans. C'est le cas des Karen et des Karenni. Les uns revendiquent une indépendance totale, les autres entendent revenir à une fédération avec une certaine autonomie interne.

Leurs villages sont régulièrement brûlés, bombardés au napalm. Malgré le processus de démocratisation qui semble s'être mis en marche à l'heure où j'écris ces lignes, les exactions à l'encontre des minorités sont toujours aussi violentes dans les régions frontalières où les étrangers ne sont pas les bienvenus.

En différents endroits du monde des nations autochtones comme les Naga, les Karen ou les Kachin de Birmanie commencent à brandir les drapeaux de l'indépendance face à des Etats extrêmement brutaux à leur égard. On assiste à l'émergence d'une forme de nationalisme autochtone généralement confiné à des zones ou les conflits consécutifs au processus de décolonisation sont encore très vivaces.

Un exil obligé

Plusieurs centaines de milliers de réfugiés karen ou karenni qui ont fui les violences de l'armée birmane vivent aujourd'hui dans la clandestinité ou dans les camps de réfugiés qui s'étirent tout au long de la frontière avec la Thaïlande.

C'est dans un village zoo établi côté thaïlandais pour exhiber les femmes kayan (péjorativement appelées *femmes girafes*) aux touristes curieux que je retrouve ma vieille amie Mu Luma. Oh ! je connais bien Mu Luma et sa famille, j'ai vu grandir chacun de ses trois enfants.

J'ai rencontré Mu Luma pour la première fois, bien avant qu'elle ne soit mariée. C'était en 1985, dans un village accroché au flanc d'une montagne qui borde un affluent du fleuve Salween, à l'intérieur des terres birmanes où je m'étais infiltré clandestinement. Les maquisards souvent très jeunes menaient alors un combat sans merci contre les soldats de la junte. En 1987, le petit village de Mu Luma a été brûlé par les soldats birmans. Je suis arrivé sur place trois jours seulement après l'attaque. Mu Luma venait tout juste d'épouser Mu La, un jeune maquisard qui avait perdu une jambe après avoir sauté sur une mine. Elle était enceinte de son premier enfant, un garçon nommé Ku Rhee.

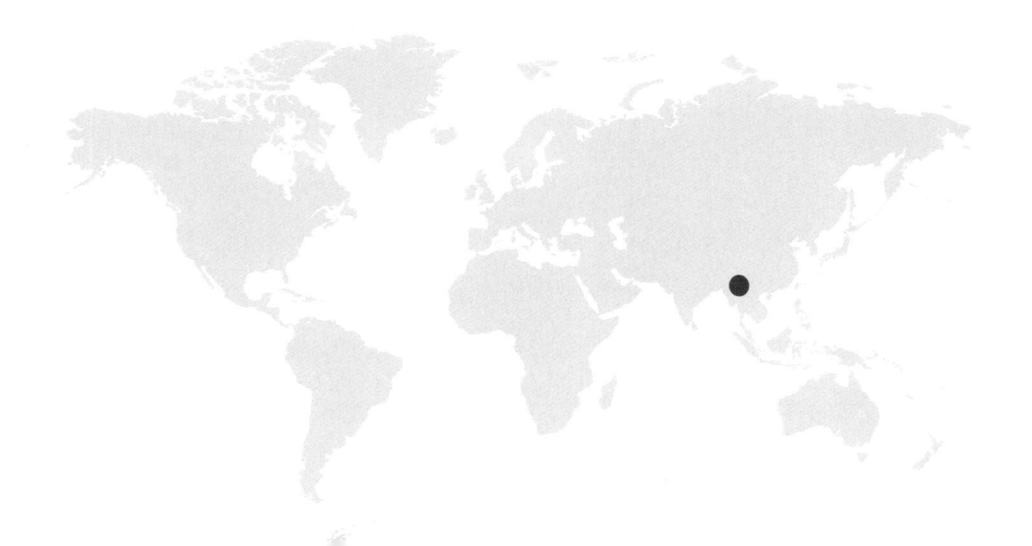

La famille a dû prendre la fuite et tenter de rejoindre la frontière thaïlandaise comme beaucoup d'autres réfugiés.
C'est le plus souvent épuisés, blessés ou malades, que les survivants de ce tragique exode parviennent dans les camps de fortune établis sur la frontière. Ils sont des milliers contraints à y vivre pendant des années et des années, dans l'attente et la dépendance, étrangers aux portes de leur propre nation, ne bénéficiant d'aucun droit ; ni celui de travailler à l'extérieur des camps, ni celui de cultiver cette terre qui n'est pas la leur. Pour certains, il ne reste plus guère que l'alcool et la drogue pour oublier que l'on peut être sans exister, vivre sans liberté, dormir sans trouver le sommeil, quand le bruit des mines, et les cris des gens qui meurent de l'autre côté de la frontière nourrissent les cauchemars de chaque nuit qui passe.

Pour tenter de remédier à cette situation, nous avons mis en place avec notre association, ICRA International, des petits élevages de volailles, de porcs, et des parcs de pisciculture construits dans les camps. Un peu plus loin, dans la région frontalière de Mae Sot, ICRA International assure, grâce à un système de parrainage collectif, la scolarisation de six cents enfants dont les écoles de feuillages et de bambous sont disséminées dans la jungle birmane jamais très loin de cette frontière thaïlandaise au-delà de laquelle les enfants peuvent trouver un peu de sécurité en cas de danger côté birman.

A mon avant-dernier voyage pour retrouver ma petite famille kayan, Ku Rhee, le fils aîné de Mu Luma avait déjà dix-sept ans. Quand je lui ai demandé de nous accompagner au camp de réfugiés – il m'a répondu, étonné : « Mais pourquoi ? Il n'y a plus rien là-bas ! Les soldats thaïlandais ont tout brûlé le mois dernier. Ils ont chassé les réfugiés vers la frontière. »
Arrivés sur place avec Ku Rhee, un spectacle de désolation nous attend. Là, dans ce vaste fond de vallée où se serraient des centaines de petites maisons de bambous, il n'y a plus que néant, restes de l'incendie allumé par les militaires de la police des frontières, pour déloger les onze mille réfugiés qui vivaient là.
Seul épargné par la police, le village zoo où les tour-opérateurs exhibent les femmes au long cou. Tant qu'il y aura des touristes, sans doute ces familles-là seront-elles autorisées à rester en Thaïlande.

Plus graves encore, les compromissions de certains Etats comme la Chine ou de certaines multinationales comme la compagnie Total qui n'ont pas hésité pas à financer la junte birmane dès le lendemain des soulèvements populaires de 1988 pour se voir attribuer concessions et monopoles.
Aujourd'hui, Ku Rhee, le fils aîné de Mu Louma a vingt-sept ans, il est marié et père d'un petit garçon de deux ans. Ma Jo, la jeune épouse de Ku Rhee s'occupe des plus jeunes enfants dans la petite école de Noi Soi pendant que Ku Rhee donne des cours aux plus grands tout en suivant une formation d'infirmier. L'école de Noi Soi accueille des enfants issus des différentes tribus qui ont fui la Birmanie, des Kayan, des Kayah, des Kayoh. Tous ces jeunes apprennent peu à peu à s'accommoder de cette vie entre deux pays comme entre parenthèses.
Ku Rhee et Ma Jo rêvent de pouvoir un jour partir pour épargner cette vie-là à leurs propres enfants.

Nouvel exil

Pendant l'été 2010, Mu Luma, ses deux filles, Ma Da et Ma Piao, son fils Ku Rhee, sa belle fille Ma Jo et leur petit garçon ont été inscrits par le HCR (Haut Commissariat aux réfugiés) sur

une liste de réfugiés qui seront envoyés bientôt en exil vers un lointain pays d'accueil – la Nouvelle-Zélande – dans le cadre d'un programme de l'ONU.

Mécontente de voir les femmes girafes et leurs familles échapper au business touristique dont elle tire quelques profits, la police thaïlandaise des frontières a obligé les femmes qui souhaitaient partir dans le cadre de ce programme à retirer leur collier.

Ku Rhee me dit que si les femmes gardent leur collier, la police thaïlandaise ne les autorise pas à s'en aller. La plupart des femmes kayan ont des maux de tête qui durent parfois plusieurs jours ou semaines lorsqu'elles retirent leurs collier, mais pour Mu Luma rien de tout cela, elle nous dit avoir eu juste froid au cou ! « Si nous restons ici, me dit Ku Rhee, nous n'aurons pas d'autre chance de pouvoir un jour sortir des camps ou des villages zoos où nous l'on nous exhibe comme des bêtes curieuses. Nous vivons ici depuis tant d'années comme dans une prison. Je ne veux pas de cette vie pour mon fils ! »

Tourisme ou voyeurisme ?

Le développement du tourisme de groupe dans les montagnes du Nord de la Thaïlande a entraîné une exploitation malsaine de certains des réfugiés, exilés de Birmanie. Dès la fin des années 1980, les voyagistes ont installé, avec la complicité de la police thaïlandaise des frontières, des villages artificiels dans lesquels ils ont rassemblé quelques femmes des tribus les plus étonnantes de la Birmanie voisine et tout particulièrement les Kayan, appelés péjorativement « Padong, ou tribu des femmes girafes ». Les touristes paient un droit d'entrée pour découvrir quelques étalages de part et d'autre d'un chemin perdu au milieu de nulle part, et, derrière ces étals, des femmes étonnantes, parées de bracelets et de colliers aux reflets d'or. Enroulés autour du cou des jeunes filles nées pendant la période de la pleine lune et qui ont accepté à l'adolescence de sacrifier à la tradition, ces longs colliers de laiton sont censés protéger l'âme de la tribu tout entière. Toutes sont des réfugiées birmanes, exilées avec leurs familles.

Les visiteurs venus des pays riches font ce qu'il est convenu d'appeler de l'ethnotourisme, cela sonne toujours un peu mieux que voyeurisme ! Tristes zoos humains où le touriste s'étonne, où il achète quelques bibelots auprès d'étranges femmes à l'allure altière, prisonnières souriantes d'un chantage à peine voilé.

Les familles de ces tribus birmanes n'ont d'autre choix que d'accepter ce marché qui leur a été imposé par les autorités locales. C'est cela ou se voir refoulées vers la frontière birmane. Une femme de l'ethnie kayoh nous a raconté : « Nous avons fui la Birmanie à cause des soldats birmans. Je suis mieux ici qu'en Birmanie. Là-bas je vivais dans l'inquiétude. Quand je travaillais dans les champs, les soldats venaient au village pour nous piller, vêtements, nourriture, cochons, poulets, nous n'avions alors plus rien à manger. Les soldats prenaient aussi les jeunes garçons et les hommes et les forçaient à devenir porteurs pour l'armée. »

Ici en Thaïlande, dans ces montagnes du Triangle d'or, comme en Birmanie dans des villages zoos identiques, mais également un peu partout sur la planète où l'ethnotourisme a désormais ses prés carrés, les derniers témoins d'un monde en sursis sont livrés en pâture à des appareils photo peu délicats.

La répétition des rites ou des danses pour satisfaire cette curiosité transforme des traditions séculaires en représentations folkloriques qui sonnent peu à peu le glas de cultures et de spiritualités dont on n'aura perçu que les éclats finissants.

Est-il permis d'espérer qu'un jour peut-être, à l'aube du processus de démocratisation tant espéré en Birmanie, dans ces montagnes et pour ces enfants-là, les barrières de bambous qui entourent ces camps de réfugiés ou ces villages zoos puissent s'ouvrir sur des jours meilleurs, notre famille humaine tout entière en sortirait grandie.

Patrick Bernard

Mu Luma et son amie Mu Thoo en Birmanie en 1985

Page suivante: Mu Luma en 2012 juste avant son départ avec sa famille pour un nouvel exil en Nouvelle-Zélande

LE SOUFLE ULTIME
des chasseurs-cueilleurs

Pendant la plus longue période de son histoire, l'homme a vécu de chasse et de cueillette. Il y a seulement dix mille ans qu'il a commencé, en différents endroits de la terre, à cultiver les plantes et à élever le bétail. On parle de la révolution néolithique et on essaie de dire par là que ce passage à un nouveau mode d'existence a fondamentalement transformé la vie de l'homme. Mais au début de notre ère, la moitié de la surface habitable de la terre était encore peuplée de tribus de chasseurs-cueilleurs. Celles qui survivent aujourd'hui sont devenues si petites et si discrètes que la société humaine contemporaine les ignore et les néglige alors qu'elles sont pourtant les derniers témoins vivants d'un mode de vie qui fut celui de toute l'humanité pendant plus de trois millions d'années.

Puiser sans épuiser, telle pourrait être leur devise. Ne restant jamais très longtemps au même endroit, les petits groupes de chasseurs-cueilleurs quittent leurs éphémères campements de branchages et de feuillages dès qu'ils sont obligés d'aller trop loin pour trouver du gibier, du miel sauvage, des baies comestibles, des racines ou des tubercules. Ils se font si discrets, si furtifs que la nature se régénère aussitôt après leur départ.

Les derniers chasseurs-cueilleurs ne sont plus aujourd'hui représentés que par quelques centaines de pauvre ères. Mlabri du Nord de la Thaïlande, Batek de Malaisie, Kubu de Sumatra, Jarawa des îles Andaman, ou Bushmen hadzabé de Tanzanie. Sacrifiés les uns après les autres sur l'autel de l'uniformisation des cultures, les derniers survivants nous offrent une opportunité inestimable d'étudier le mode de vie des premiers hommes.

La dernière trace des Bushmen

Dès le début des premières colonisations européennes de l'Afrique dans le courant du XVIIe siècle, la question de l'origine des Bushmen a intrigué jusqu'aux scientifiques les plus sérieux. On se souvient de la Vénus hottentote qui inscrivit pour toujours l'orgueil colonial sur l'autel de l'histoire de l'humanité et de son propre regard sur elle-même. Ces dernières années les généticiens et les linguistes ont admis le fait que les San ont de tout temps évolué en Afrique et nulle part ailleurs et qu'ils constituent probablement, avec les Pygmées des forêts d'Afrique centrale, les peuples premiers du continent africain. Quelques-unes de leurs traces demeurent, symbolisées par les peintures rupestres que les Bushmen, artistes des premiers matins du monde, ont laissées dans les montagnes du Drakensberg en Afrique australe dans une période comprise entre 100 ans et 8000 ans.

Voilà quelques décennies, les derniers groupes de chasseurs-cueilleurs nomades vivaient encore leurs ultimes transhumances dans les vastes plaines herbeuses du Kalahari au Bostwana et en Namibie[1]. Dans les années 1970 on pouvait estimer à près de six mille, le nombre des Bushmen san vivant encore de la chasse et de la cueillette itinérantes dans ces deux pays.
Que reste-t-il de ces fameux hommes de la savane, les San ? Décimés, arrivés au bord de l'anéantissement au fil des vagues de migrations et des colonisations successives qui ont forgé l'histoire de l'Afrique australe, les San ne sont plus aujourd'hui que des ombres d'eux-mêmes.

1. « San, la dernière trace », *Tribus en sursis*, p. 53, Pages du Monde.

Leurs descendants tentent d'exister, reclus dans des campements de toile ou de briques qui étalent leur tristesse entre les barbelés et clôtures des grandes fermes sud-africaines. Il nous faut remonter jusqu'en Tanzanie pour retrouver quelques familles de Bushmen hadzabé[2] qui ont pu préserver leur mode de vie, mais pour combien de temps encore ?
Leurs ancêtres étaient essentiellement nomades. Ils s'installaient à un endroit pour quelques jours, s'y nourrissaient des fruits de la nature puis se déplaçaient vers une autre région. En fait, ils ne restaient jamais très longtemps !

Chaque clan se déplaçait continuellement, passant d'une région à l'autre en fonction du gibier, des plantes et des racines que les Bushmen pouvaient trouver pour se nourrir, du jus des bulbes et des tubercules dont ils pouvaient s'abreuver. Le ciel et la terre, l'eau, le feu, les plantes et les animaux sauvages sont étroitement liés à la condition de chasseurs-cueilleurs des Bushmen dans une perspective cosmologique au sein de laquelle la mort tient une place prépondérante. Les uns prétendent que les étoiles sont les yeux des morts. D'autres disent qu'il s'agit plutôt des feux de camp des âmes.

2. « Hadzabé, les chasseurs de liberté », *Tribus en sursis*, p. 65, Pages du Monde.

Face à la colonisation de leurs terres ancestrales par les éleveurs et les agriculteurs, les San, décontenancés, nous ont ainsi exprimé leur inquiétude : « Si les vaches prennent la place des animaux sauvages de la brousse, et si les animaux sauvages de la brousse sont reclus dans des réserves et des parcs animaliers, que nous restera-t-il donc à chasser, sinon les vaches ! »
Il ne reste probablement plus un seul San du Kalahari à l'abri des changements imposés par le monde du dehors. Les clôtures érigées autour des propriétés des grands éleveurs, les interactions de plus en plus fréquentes avec les peuples sédentaires, les routes, les projets dits de développement, les missions religieuses et l'ethnotourisme ont eu raison de la spiritualité, de la culture, des traditions et du mode de vie ancestral des derniers San. Hormis la langue qui est encore enseignée aux jeunes générations, il n'y a plus de transmission de la tradition orale.

Les Bushmen nous ont confié que, quoi qu'il en soit, le temps de cette vie de chasseurs-cueilleurs est définitivement terminé et que celui de la nostalgie est arrivé pour les plus anciens qui gardent en eux la mémoire et les souvenirs de cette époque révolue.

PATRICK BERNARD

Le jour de notre départ vers l'autre monde, le vent soulève la poussière et recouvre les traces qui demeuraient de notre passage en ce monde-là. Si le vent n'avait pas soufflé, ce serait comme si nous vivions toujours.
C'est pourquoi il y a le vent qui arrive aux derniers jours pour effacer les traces de nos pas.

Paroles de Bushmen

Le peuple des feuilles jaunes

Lorsque des villageois de la région de Nan, dans le Nord de la Thaïlande tout près de la frontière laotienne, ont découvert, en pleine jungle, de mystérieux abris recouverts de feuilles de bananier jaunies, ils ont pensé avoir affaire à un peuple d'esprits et les ont appelé *phi thong leang*, les esprits des feuilles jaunes. Le peuple premier de Thaïlande ne compte plus aujourd'hui que deux cent quinze membres. Avec un peu de chance, on peut les rencontrer dans un petit village construit pour eux par le gouvernement régional. Les Mlabri[1] y viennent parfois lorsque, poussés par la faim, ils sont contraints d'offrir leurs services aux villageois hmong ou thaïlandais en échange d'un peu de nourriture.

Il y a près de trente ans, lorsque je les ai rencontrés pour la première fois, les Mlabri vivaient encore à l'abri de la forêt dense. Ils fuyaient et s'enfonçaient dans la jungle chaque fois qu'ils décelaient une présence. Parfois, la colonne s'arrêtait. Chacun s'activait alors, qui à débroussailler, qui à rechercher des feuilles de bananier. Le petit groupe se posait dans un sous-bois le temps pour les feuilles de bananier de jaunir, les quelques jours nécessaires pour emprunter à la forêt quelques-uns de ses fruits... Au bout de cinq ou six jours, ils quittaient leur éphémère abri de feuillages et se déplaçaient un peu plus loin. Il était temps de partir de laisser la forêt se régénérer. Chaque famille rassemblait ses modestes effets et la petite colonne partait à la recherche d'un autre sous-bois.

1. « Mlabri, les esprits des feuilles jaunes », *Tribus en sursis*, p. 15, Pages du Monde.

La raison d'être des Mlabri, c'était la jungle avec ses bruits, ses mystères... Leur bonheur, c'était de la parcourir en quête de quelque animal ou de quelques fruits sauvages... De rêvasser au pied d'un arbre, le regard perdu vers le faîte de l'un des derniers grands seigneurs de la forêt. La forêt constituait aussi un terrain de jeux sans frontières ni limites. Dans la nature, chacun apprenait la vie en imitant les plus grands, en se glissant dans les méandres de la jungle, en apprivoisant ses secrets, en domptant ses dangers...
A la fin de la journée, le petit groupe se retrouvait sous les abris de feuillages. On ravivait le feu, on cuisinait le gibier rapporté de la chasse, les tubercules récoltés dans le sous-bois, on faisait chauffer le riz collant dans les tubes de bambou. Chaque famille partageait un repas bien mérité. On en profitait pour se raconter les histoires de la journée, histoires de chasse ou

de pêche... Quant à moi, je ne pouvais que me laisser bercer par ce parler modulé et chantant finissant sur un ton plus élevé.

Au début des années 2000, je suis revenu sur place. La forêt avait disparu, remplacée par des champs ou des plantations de litchis. D'autres hommes moins humbles que les Mlabri s'étaient arrogés le droit de la détruire pour vendre son bois et la cultiver. Sur les collines pelées et les coteaux rasés, les abris de feuillages des Mlabri prennent des allures dérisoires de radeaux de boat people en route pour nulle part.
Les Mlabri, qui n'ont plus où aller, n'ont d'autre choix que d'offrir leurs services aux montagnards hmong ou aux villageois thaïlandais. Ils vont même les aider parfois à brûler et à détruire ce qui reste de jungle, ici et là, d'autres arbres, des pans entiers de forêt, autant de gestes contre nature, contre leur nature. Mais ils savent qu'en échange de ce travail, on leur donnera un peu de riz, et et peut-être un petit cochon noir.

Pas très loin de la petite ville de Nan, un village a été érigé pour les Mlabri par les autorités provinciales. Ils y viennent parfois, lorsqu'ils ont trop faim. Dans la modeste école, les enfants mlabri apprennent peu à peu, à vivre bon gré, mal gré, dans ce monde qui n'est pas le leur. La secte américaine New Tribes Missions (l'Eglise des nouvelles tribus) sévit ici depuis déjà plusieurs années. La famille Long appartient à la secte. Le pasteur, d'origine américaine, tente par tous les moyens de sédentariser et d'évangéliser les derniers Mlabri. Presque tous se sont laissé un jour ou l'autre attirer par ses promesses. Les missionnaires envoyés sur le terrain par ces Eglises évangéliques sont généralement dotés de moyens financiers considérables. A cause de ces missionnaires et de leurs méthodes radicales, les familles mlabri sont aujourd'hui déchirées, éclatées...

J'ai connu Tamoo et son épouse il y a bien longtemps, je les ai croisés un jour sur un de leurs perpétuels chemins de transhumance sous la canopée protectrice. Eux aussi, comme tant d'autres, ont fini par céder à l'insistance du pasteur. Plusieurs de leurs enfants ont préféré fuir dans ce qu'il reste de forêt vierge. Cette situation prévaut malheureusement dans la plupart des familles mlabri conditionnées par la secte. Dans la mission américaine, on traite les récalcitrants d'indisciplinés et de délinquants...
Les Mlabri ne peuvent plus vivre de chasse et de cueillette itinérante. Ils n'ont plus où aller et n'ont désormais d'autre choix que de se regrouper dans ces villages établis par les missionnaires évangélistes ou les autorités régionales pour les sédentariser. Ils y vivent des aides irrégulières de l'Etat, de l'Eglise des nouvelles tribus, de la charité des populations locales, des monastères bouddhiques proches ou encore des rares touristes !

Pour remercier les gens du dehors de toute cette générosité, les plus anciens du village enlèvent parfois leur T-shirt et miment quelques pas de danse... Oh bien sûr, cela n'a plus rien à voir avec les chants et les danses mlabri qui résonnaient hier dans les forêts de bambous quand ils voulaient remercier les esprits de la nature de tous leurs bienfaits, d'une bonne chasse ou d'une cueillette abondante. Tout au moins ces pas de danse improvisés leurs rappellent-ils les souvenirs enfouis d'un mode de vie dont ils garderont la nostalgie jusqu'à leur dernier souffle. A terme, ils accepteront, pour faire plaisir à ceux dont ils sont désormais devenus dépendants ou les obligés, de se convertir à l'une ou l'autre de ces religions que leurs généreux bienfaiteurs souhaitent leur voir embrasser. Pour les Mlabri on ne peut recevoir sans donner à son tour, c'est la règle ancestrale du don et du contre-don. Ils n'ont rien à offrir en échange de tous ces cadeaux. A part faire plaisir à celui qui donne et si pour cela il faut se convertir, alors ils se convertissent !

Les derniers Mlabri n'ont sûrement pas conscience de leur état d'exception en ces premières années du troisième millénaire. Ils ont toujours fait partie de la forêt, c'est leur maison, leur référence. Ils n'ont pas dompté la nature mais s'y sont soumis en nomades. Le climat et les ressources comestibles ont toujours guidé les itinérances de ce petit peuple discret qui ne produit pas, ne transforme pas, ne construit pas, mais se contente de consommer timidement ce que la forêt veut bien lui offrir.

Voici trente ans que je côtoie les Mlabri, trente ans que j'assiste avec un terrible sentiment de frustration et d'impuissance à la fin programmée de cette petite société de chasseurs-cueilleurs.

Comme ces souffles de vie furtive qu'ils ont toujours été, les Mlabri accomplissent aujourd'hui leur retour au monde du silence et des murmures. Ils rejoignent leur légende pour redevenir à jamais dans la mémoire collective des peuples de Thaïlande ce qu'ils ont toujours été, un peuple d'esprits : les esprits des feuilles jaunes.

PATRICK BERNARD

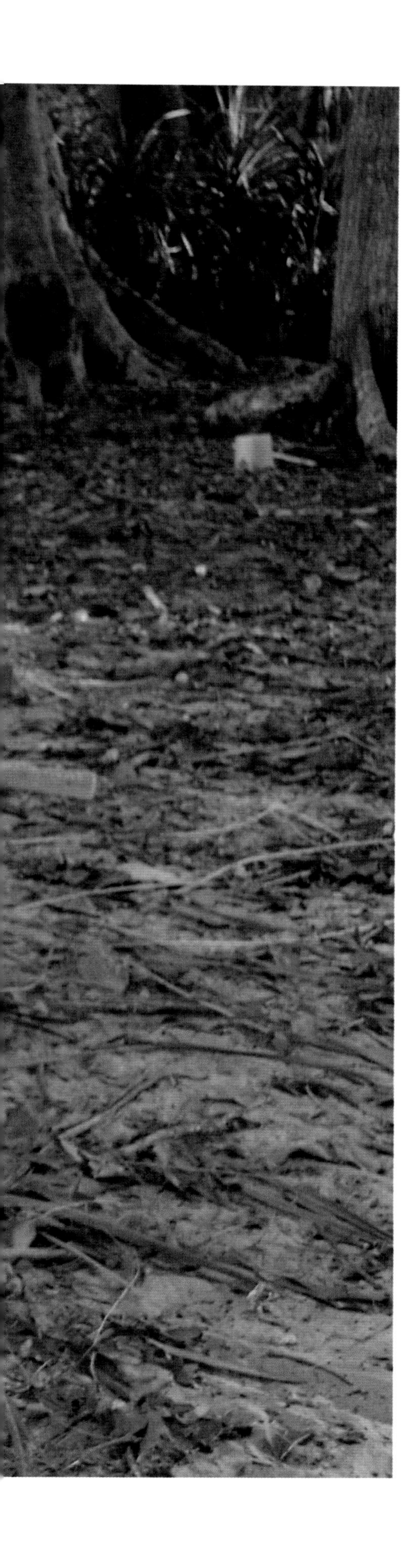

Que reste-t-il des Jarawa ?

En 1990, j'entrepris une expédition pas comme les autres pour tenter de m'approcher de l'une des toutes dernières tribus hostiles de notre planète. Ses quelques dizaines de représentants constituent les derniers témoins d'une ethnie pratiquement éteinte et de cette grande nation d'hommes noirs, aujourd'hui disparue, que furent les premiers habitants du Sud-Est asiatique. Cela se passe dans l'archipel des Andaman au cœur d'un chapelet d'îles interdites où survivraient des tribus qui, en ce début de troisième millénaire, refusent encore tout contact avec le monde extérieur. Ceux que les premiers navigateurs espagnols et portugais ont appelé les Négritos, seraient les plus anciens habitants du Sud-Est asiatique. Probablement repoussés par des peuples venus d'Asie centrale, ils se seraient retranchés dans les jungles profondes de la péninsule malaise, de Sumatra, de l'archipel philippin et des îles Andaman dans le golfe du Bengale, proche des côtes de la Thaïlande et de la Malaisie.

L'archipel des Andaman appartient aujourd'hui à l'Inde au même titre que l'archipel voisin des Nicobar où l'Inde procède régulièrement à des essais nucléaires sous-marins. Ces îles abritent quatre tribus négritos : les Jarawa[1], les Onge, les Grands Andamanais et les Sentinelle.
Du fait de leur isolement et de leur hostilité légendaire, les Jarawa et les Sentinelle sont demeurés isolés et coupés du monde extérieur jusqu'au début des années 2000, contrairement aux Onge et les Grands Andamanais dont il ne reste plus que quelques dizaines de survivants parqués sous la protection des autorités gouvernementales.

Dans les îles les plus importantes de l'archipel, les plaines fertiles ne suffisent plus. Les forêts des Négritos attirent désormais la convoitise de plus en plus de colons indiens venus en masse du continent chercher ici une vie meilleure. L'espace vital des autochtones se réduit comme peau de chagrin. La civilisation rôde autour des derniers survivants des grandes tribus andamanaises. Régulièrement, les bateaux des expéditions indiennes de pacification se rendent sur les côtes jarawa pour y déposer de multiples présents. Ainsi sans doute commence pour les et pour leurs enfants une ère nouvelle ! De quel prix devront-ils payer l'abandon de leur hostilité ?

En 1997, pour des raisons encore inconnues à ce jour, un groupe de Jarawa a quitté sa forêt nourricière pour se rendre dans les villages indiens du voisinage et y mendier quelque nourriture, outils métalliques ou vêtements.
En l'espace de quelques mois, ils sont passés de l'isolement et de leur humble vie de chasseurs-cueilleurs nomades à l'âge de l'abondance, de l'intolérance et de l'incompréhension, s'offrant sans pudeur aucune au regard médusé ou moqueur, pervers ou amusé, d'une population locale qui en avait à jamais fini de craindre les petits génies noirs de la forêt andamanaise. Les contacts se sont répétés sans la moindre précaution sanitaire. Très vite les quelque trois cents Jarawa se sont retrouvés contaminés par des maladies qui leur étaient inconnues et contre lesquelles leurs organismes ne possédaient aucune défense.

2003 : retour dans l'archipel douze ans après notre première expédition. Le début du troisième millénaire marque un tournant dans l'histoire des îles Andaman et de leurs habitants. Les colons qui, en 1990, étaient au nombre de cent cinquante mille, sont, en 2003, plus de cinq cent mille. L'exploitation forestière bat son plein. De plus en plus d'îles sont ouvertes au tourisme. Des hôtels émergent ici et là. Des agences de voyages et des clubs de plongée commencent également à faire leur apparition. Pour leur ouvrir la voie, le gouvernement indien s'empresse de pacifier, déplacer, sédentariser parquer les derniers

1. « Jarawa, l'Asie des derniers Négritos », *Tribus en sursis*, p. 37, Pages du Monde.

Négritos comme il l'a déjà fait avec les quatre-vingt-sept derniers Onge de l'île de Petite Andaman. La police indienne veille désormais sur les Jarawa, elle les contrôle, les surveille. Mais les accidents ne peuvent pas être évités. Les Jarawa sont parfois tentés de flécher une vache ou des chèvres appartenant aux colons indiens nombreux à empiéter sur leur territoire, traversé aujourd'hui par la Grand trunk Road – une route qui relie la capitale de l'archipel, Port-Blair, aux colonies indiennes du Nord. Colons et touristes curieux se pressent aujourd'hui dans les bus qui, tous les jours, parcourent cet axe routier. Les Négritos deviennent des mendiants et sont objets des convoitises les plus perverses.
Plusieurs associations de défense des droits de l'homme, indiennes ou internationales comme ICRA réclament la fermeture de cette route. Les liaisons maritimes suffisent largement à satisfaire les besoins d'échanges entre Port Blair et

les agglomérations des îles du nord de l'archipel, mais les autorités indiennes font la sourde oreille.

Les Négritos vivent actuellement leur dernier souffle. Ces dernières années, la pression des colons et des autorités pour pacifier et parquer les derniers Jarawa augure, non seulement une déstructuration extrêmement rapide et brutale des fondements culturels et traditionnels des Jarawa, mais aussi leur anéantissement physique et leur disparition irrévocable à très court terme.
La triste histoire des Grands Andamanais risque malheureusement de se rejouer à nouveau comme un très mauvais drame au dénouement tragique. Ils étaient plus de cinq mille personnes au début du siècle dernier et ne sont plus que vingt-sept âmes sans espoir, parmi lesquelles un seul couple fertile encore en mesure de donner la vie !

La fin de l'histoire, on la connaît déjà. Dans le meilleur des cas, la réserve, comme une poubelle dans laquelle on jette les miettes du miroir brisé, avec, au bout du compte, l'assurance d'une vie assistée pour les survivants qui ne seront plus que des ombres déformées des derniers hommes vrais, ces fiers Jarawa qu'ils étaient encore à la fin d'un XXe siècle déjà révolu.

Naguère, l'univers de ces enfants sans nom, c'était le ciel, l'océan, la forêt et les hommes, le chant de la jungle, celui des vagues et puis le temps qui, ici, ne se mesure ni ne se compte. Notre rencontre éphémère avec les Jarawa entrebâille à peine le portail de la connaissance de l'autre. Peut-être de prochaines générations parviendront-elles à l'ouvrir, si seulement nous pouvions leur en laisser le temps !

PATRICK BERNARD

Le rêve brisé des aborigènes

Les Pitjantjatjara vivent dans les vastes étendues désertiques du centre rouge australien. Ils sont restés jusqu'au milieu des années 1950 des chasseurs-cueilleurs nomades. Ils se déplaçaient continuellement par petits groupes de cinq ou six personnes. Tout au long du chemin, ils chassaient, déterraient des tubercules, cueillaient des plantes alimentaires ou médicinales, des fruits et des baies sauvages, récupéraient les larves et les fourmis à miel. Chaque fois qu'ils le pouvaient, ils se reposaient près des points d'eau, à l'abri des rochers ou de leurs rudimentaires huttes de branchages. Pour allumer un feu, ils frottaient l'arête d'une pièce de bois d'acacia très dur contre un bois plus tendre.

La cueillette était assumée par les femmes. La chasse était l'apanage des hommes. Les Pitjantjatjara ne la pratiquaient que par nécessité, même si le gibier abondait. Lorsque les hommes pistaient un kangourou, ils étaient capables pour le surprendre d'attendre pendant les heures les plus chaudes de la journée, lorsque l'animal se reposait à l'abri des hautes herbes ou à l'ombre des arbres. Les hommes chassaient à tour de rôle et se partagaient ensuite équitablement le fruit de leur chasse. Le repas était toujours précédé d'un bref rituel. Chaque homme exhibait des quartiers de viande sur sa tête. Les femmes et les enfants n'assistaient pas à ce spectacle. Leur part leur était remise plus tard. Le chasseur ne s'attribuait jamais le meilleur morceau. La viande et la queue du kangourou étaient partagées entre les membres du clan, selon une hiérarchie précise.

Les Pitjantjatjara dépendaient du cycle immuable des multiples formes de vie. Des astres qui influent sur la fécondité des animaux et des végétaux, des plantes qui interviennent dans la vie des insectes et des oiseaux, les uns attirant et nourrissant les autres. Les animaux tiennent une place essentielle dans leur spiritualité. Ils connaissent précisément chaque espèce tout comme chaque plante, chaque pousse, chaque insecte.

Pendant très longtemps, l'Occident a cru que les nomades menaient une vie extrêmement dure, aléatoire, pourtant les aborigènes trouvaient leur nourriture quotidienne en seulement trois ou quatre heures. Ce mode de vie de chasseur-

cueilleur laissait tout loisir à la méditation sur la place de l'homme dans la nature. Les aborigènes avaient le temps de s'imprégner des connaissances qui émanaient des autres formes de vie. Ils développaient une sensibilité à toute chose que nous avons perdue. La générosité du désert était cachée mais bien réelle. Si la maladie survenait, les forces spirituelles s'unissaient au monde végétal pour la chasser. Considérant que la maladie est le plus souvent le fait d'un esprit mauvais, l'homme médecine utilisait les plantes aux pouvoirs bienfaisants. Il apposait ses mains sur la partie souffrante, procédait à des pressions sur le crâne, puis effectuait des succions répétées sur tout le corps. Après quoi, il s'éloignait de quelques mètres pour recracher le mal qu'il était parvenu à extraire… Il recommençait jusqu'à ce que le patient se sente mieux.

Les enfants pitjantjatjara étaient généralement élevés par les mères jusqu'à la puberté. L'enfant était alors retiré du monde des femmes et les hommes l'emmenaient dans la brousse pour lui enseigner les mythes et légendes de la tribu dont la connaissance allait faire de lui un *homme véritable*. Chacun était dès lors en mesure de retrouver la mémoire de ce qu'il fut au début des temps. L'initiation s'étalait généralement sur quelques années, par période de plusieurs mois. Dès l'âge de seize ans, les jeunes filles subissaient, elles aussi, des épreuves d'initiation. Leur initiation achevée, les jeunes gens pouvaient alors se marier.

Les années 1950 marquèrent le début de la sédentarisation des aborigènes. Missionnaires et colons commençaient à s'installer sur les terres aborigènes du centre rouge australien. Les missions réparties dans le désert regroupaient les nomades et les sédentarisaient coûte que coûte pour libérer les territoires convoités par les colons. A cette époque, la culture et la spiritualité du peuple premier d'Australie échappaient encore totalement aux hommes blancs. Il fallait le soumettre ou l'éliminer. Betty et Jacques Villeminot, deux grand voyageurs, pionniers du film ethnographique, ont rencontré au début des années 1950 les derniers chasseurs-cueilleurs pitjantjatjara[1]. Soixante ans plus tard, nous sommes partis sur leurs traces.

1. Jacques Villeminot, *Mémoires d'Océanie*, coll. « Anako », Pages du Monde, 2008.

Alcheringa – le temps du rêve

A l'orée de tout[2], dit la légende, dans le fantomatique temps du passé, il n'y avait qu'une seule vie sur terre, une vie inerte, qui recélait des ébauches d'animaux, de végétaux et tout le devenir de l'humanité. Un jour, une entité du ciel se décida à sculpter cette masse gélatineuse. C'est ainsi que naquirent les hommes, les animaux, les plantes et toutes les formes de vie. Chaque homme, chaque femme, est aujourd'hui apparenté à l'un des animaux du début des temps. C'est ce que les aborigènes appellent leur rêve : par exemple, la parenté entre le kangourou et l'homme sera le rêve de cet homme. Ensuite, venues du ciel, des profondeurs de la terre et de la mer, des entités géantes, aux pouvoirs énormes, apparurent sur Terre pour imprégner les étoiles et tout ce qui vivait de leur énergie sacrée. Ces entités, que les aborigènes appellent leurs grands ancêtres, ont créé sur terre un monde à l'image du leur, c'est-à-dire à l'image du temps du rêve. Pour assurer l'éternité de leur œuvre, ces entités géantes créèrent des sites sacrés qu'elles relièrent entre eux par des pistes puis elles dirent aux hommes : « Vous irez d'un site sacré à l'autre, et nous allons vous apprendre les cérémonies qui vous permettront de recevoir du monde invisible les directives qu'ils vous faudra prendre pour maintenir le monde temporel à l'image du monde invisible. Vous serez les gardiens de notre création ! »
Les cérémonies, les chants et la peinture permettent aux initiés – *les hommes véritables* – d'accéder momentanément à ce temps du rêve. Depuis des millénaires, les Pitjantjatjara voyageaient ainsi d'un site à l'autre.

Ils y célébraient leurs cérémonies et chaque individu participait à l'évolution des lois qui s'appliquaient à la communauté tout entière. Ces rêves, lorsqu'ils semblaient importants, étaient soumis au conseil des sages qui les analysait, les retenait ou les rejetait. Ces pèlerinages permanents et ces voyages réguliers dans le temps du rêve sont la clé de cette civilisation, la plus ancienne de notre planète, puisqu'elle perdure depuis au moins soixante mille ans, peut-être même plus de cent mille ans.

Un art pour transcender l'au-delà

Dans la pensée aborigène, graver la pierre ou peindre n'est pas un art, c'est une écriture. Le plus souvent, le dessin était réalisé sur le sable avec des symboles qu'un simple coup de vent suffisait à effacer. La peinture, une fois terminée, n'avait aucune valeur. L'important c'était le geste, parce que alors l'artiste était en communion avec le monde sacré qui guidait sa main. Il arrive que, sur les rochers, une peinture en cache une autre car il fallait préserver le secret exprimé par son auteur. L'aborigène a une très forte culture du secret. Une histoire, un rêve, un chant peuvent n'appartenir qu'à un petit groupe, voire une seule personne. L'art aborigène permettait, par son caractère transcendant, d'entrer en communion de manière fugitive autant qu'éphémère, avec le monde de l'au-delà.

Au début des années 1970, Geoffrey Bardon, professeur de dessin à l'école de Papunya, incita les aborigènes à peindre leurs rêves avec des pigments acryliques, tout en conservant la technique de la peinture à points. L'œuvre perdit son côté rituel et éphémère. Cependant l'artiste aborigène continuait à camoufler les lieux et les rites secrets liés au temps du rêve derrière des points ou des couleurs. Mais les hommes à l'origine de cette renaissance artistique comme Clifford Possum Tjapaltjarri, s'éteignent les uns après les autres. Et la relève s'avère bien timide.

Aujourd'hui les peintures aborigènes tiennent une place de choix sur le marché international. Elles se vendent à des prix fabuleux et sont demandées dans le monde entier, aussi bien au Japon qu'aux Etats-Unis. Mais ces peintures sont signées d'un nom. De tout temps combattu au même titre que la possession matérielle par les aborigènes d'Australie, cet individualisme marque la fin d'une civilisation. L'art aborigène est devenu quelque chose de mercantile. Les peintres travaillent dans des *arts centers* gérés par des Australiens blancs ou métis. Ils achètent les œuvres directement à leurs auteurs pour les revendre ensuite à des prix exhorbitants dans les galeries d'Alice Springs, Melbourne, Sydney et dans le monde entier. Cela permet toutefois à certains jeunes artistes de trouver une place dans la société. L'art aborigène demeure l'ultime vestige d'un univers spirituel d'une extraordinaire complexité.

Dans les années 1950, lorsque les missionnaires ont commencé leur action évangélisatrice dans les territoires les plus reculés du centre rouge australien, la spiritualité si profonde et complexe des Pitjantjatjara leur échappait totalement. Les colons estimaient qu'un peuple incapable de cultiver la terre n'avait qu'à se taire si d'autres venaient s'y établir et la mettre en valeur. Pendant trois siècles, les aborigènes furent victimes d'innombrables exactions. Les colons britanniques n'hésitaient pas à tuer pour quelques arpents. Les anciens prirent conscience de cette menace. Ils décidèrent de réagir. En secret et à la même heure, chaque grand sage pointa son « os de la mort » contre les envahisseurs les plus proches pour chasser leurs esprits des chemins sacrés du temps du rêve. Malheureusement, les Blancs se révélèrent imperméables aux pouvoirs de « l'os de la mort », pourtant si craint au sein des communautés aborigènes...

Au début des années 1960, des milliers d'enfants ont été arrachés à leurs familles pour être élevés dans les communautés blanches et les missions anglicanes du pays. Ils font partie de ce qu'il est convenu d'appeler la génération volée. Ils sont, avec les métis, six fois plus nombreux que les aborigènes de souche.
Ils sont aujourd'hui les porte-parole de cette communauté qui ne représente plus actuellement que 2 % de la popula-

2. D'après les propos de Betty Villeminot pour le film *Le Rêve brisé des aborigènes*, Anako Productions.

tion totale du continent australien et dont une grande partie est issue du métissage.

La société australienne essaie de compenser maladroitement le préjudice qu'elle a fait subir aux aborigènes. Elle commence à leur restituer des terres. Des réserves et des camps de regroupement sont créés, à l'image du camp de Papunya. La plupart des aborigènes s'ennuient dans ces réserves où l'inactivité est reine. Chaque famille se voit offrir, en plus d'une allocation mensuelle, une maison flambant neuve, de l'électroménager et une télévision. Des écoles dotées des équipements les plus modernes fleurissent un peu partout. Sont venus s'y ajouter des allocations, des aides multiples aux allures de cadeaux empoisonnés. Prisonniers de ce mode de vie auquel ils ne parviennent pas à se faire, les aborigènes se sentent acculés. Ils perdent leurs repères sans pour autant s'intégrer. Eux qui n'ont jamais appris à entretenir une maison ou à gérer un budget se retrouvent dans une situation de « pauvres riches » !

Pour les aborigènes, l'accumulation, la possession n'ont jamais eu de sens tant par le passé que de nos jours. 3 000 à 5 000 dollars, l'équivalent de 2 000 à 4 000 euros, peuvent entrer chaque mois dans le foyer, mais au bout d'une semaine tout est dilapidé, distribué aux cousins, aux amis, dépensé en vêtements, voitures, télévisions ou téléphones portables. L'auto achetée la veille est abandonnée au bord de la piste dès la première panne. Les vêtements sont délaissés aux abords des habitations après leur première utilisation. Le taux de mortalité augmente, génération après génération. Les aliments conditionnés et les sodas consommés sans discernement entraînent des surcharges pondérales et des taux de diabète inquiétants. Les aborigènes sont les victimes impuissantes d'un génocide passif qui succède à celui, plus brutal, perpétré pendant la période la plus sombre de la colonisation. Certains essaient de rejoindre la ville dans l'espoir d'une vie meilleure mais ils n'y trouvent le plus souvent que des ghettos, la passivité, la drogue, l'alcoolisme.

Au début des années 2000, une partie de la communauté blanche prend conscience de la nécessité de se réconcilier avec le peuple premier du continent australien. Mais les aborigènes sont encore considérés par les Blancs comme des mineurs, des enfants qu'il faut assister en tout. Les aborigènes, eux, considèrent que l'homme blanc n'est pas tout à fait abouti car il ignore deux commandements fondamentaux : l'interdit de s'attacher aux choses matérielles, et l'interdit de quitter le territoire dont il est le gardien – celui de ses origines – pour aller envahir celui des autres.

« Nous avons fait évoluer nos techniques au détriment de l'homme et de la société bien sûr, puisque force est de reconnaître que notre société est loin d'être la plus présentable, nous dit Betty Villeminot. Eux n'ont pas fait évoluer leurs techniques, ils ont fait évoluer les pouvoirs psychiques de l'homme. C'est une autre évolution de l'humanité ! Pourquoi n'y en aurait-il qu'une et pourquoi la nôtre serait-elle la meilleure ? La culture aborigène et sa spiritualité unique sont en tout cas une richesse bien plus grande que toutes les mines de cuivre ou de cobalt que l'on a découvertes sur le continent australien. Cela aurait pu être un enrichissement merveilleux pour nous si seulement nous avions pu les écouter et les considérer avec une oreille plus attentive et une attention plus respectueuse de leur différence ! »

Ces aborigènes, que Betty et Jacques Villeminot ont rencontrés dans les années 1950, et qu'avec Ken j'ai côtoyés dans la deuxième décennie du troisième millénaire sont désormais dépendants des subsides de l'administration australienne. Betty et Jacques avaient découvert chez les chasseurs-cueilleurs pitjantjatjara une humanité.

Longtemps isolée, elle avait évolué d'une manière différente. Puisse-t-elle encore transmettre aux générations futures une partie des enseignements acquis pendant des millénaires entre leur vie de chasseurs-cueilleurs nomades et Alcheringa, le temps du rêve.

Betty VILLEMINOT, Jacques VILLEMINOT et Patrick BERNARD

NATURE
et peuples autochtones

Bien qu'occupant des espaces considérés par beaucoup comme exotiques voire marginaux (les déserts – chauds ou froids – et leurs périphéries, les forêts tropicales et équatoriales ou les savanes plus ou moins arborées, des territoires « à la marge du monde » pourtant essentiels à la planète, longtemps préservés du monde dit « civilisé », ces populations autochtones et leurs territoires au sens large sont aujourd'hui de plus en plus menacés par les pays développés et les nations émergentes en quête de matières premières (produits pétroliers et miniers, terres, bois, etc..

Au-delà des approches traditionnelles – historique, structuraliste, culturelle – bien connues pour définir l'*autochtonie*, les peuples autochtones se caractérisent aussi par une proximité et une dépendance marquée vis-à-vis d'un environnement nourricier, une exploitation mesurée des ressources naturelles, une gestion communautaire du rapport à la terre mère, le tout entouré de liens symboliques puissants : si le monde industrialisé considère que *la terre appartient à l'homme*, les peuples autochtones pensent eux que *l'homme appartient à la terre*.

Des hommes appartenant à la nature

Depuis le paléolithique et le néolithique, les sociétés n'ont cessé d'accumuler des données qui leur ont permis de s'adapter en mettant au point un ensemble de stratégies, de réponses et d'informations régulatrices pour utiliser au mieux leur environnement, compte tenu de leurs moyens, tout en prenant soin de sa préservation, condition première de la survie de ces mêmes sociétés. Si les mécanismes et les techniques de production ont évolué au cours du temps, les connaissances en matière environnementale découlaient en priorité des pratiques mises en œuvre pour gérer et préserver le milieu. Cette longue période a certes été ponctuée de réussites et d'échecs en matière de gestion environnementale, mais la permanence des sociétés nomades, semi-nomades et agraires, qui ont mis en place une utilisation équilibrée de la nature montre bien la valeur de ces savoirs sociétaux basés sur le couple pratique/connaissance.

Ces savoirs ont d'une manière générale été transmis par la tradition. Pourtant, beaucoup de ces connaissances fonctionnelles et régulatrices ont été perdues. « En effet, la constitution des sciences représente en quelque sorte un exil, celui de la nature des hommes et de la nature des choses et les nombreuses connaissances accumulées jusque-là ont été marquées du sceau de ce "qui va de soi "[1]. » Cette *fission* provoquée par l'avènement des sciences entraînera une perte considérable d'informations contenues dans les pratiques dont les sciences ne tiendront pas compte car elles partiront du principe que la nature est inépuisable, sans limite, et que l'homme peut en disposer comme bon lui semble.

L'approche occidentale de la nature repose sur la dualité entre l'humain et le non-humain, soit une nature séparée de la société, soumise aux hommes qui en sont les possesseurs. Cette conception est étrangère aux peuples autochtones pour lesquels la nature et la sphère humaine ne font qu'un. Ainsi, nombre d'entre eux confèrent aux plantes et aux animaux la plupart des attributs des humains.

Malgré la colonisation des sociétés et des esprits par ces sciences et ces modèles venus du Nord, les sociétés traditionnelles et autochtones fonctionnent encore, pour la plupart, grâce aux savoirs ancestraux locaux qui demeurent bien présents et sont comme par le passé, constamment alimentés par les pratiques et les expériences quotidiennes des individus.

Ainsi, les tribus papoues du grand plateau de Papouasie dépendent exclusivement de l'éco-système forestier qui les entoure et ont développé au cours du temps une gestion respectueuse des ressources naturelles reposant sur une faible appropriation matérielle de la nature alliée à un système de connaissances symboliques de cette dernière[2]. Les communautés, disséminés sur de vastes territoires, sont adaptées à la dispersion des ressources forestières. La plus importante d'entre elles est le célèbre sagoutier dont la fécule qu'elles en extraient constitue la base de leur alimentation. Cette activité de collecte revient aux femmes qui, après le choix de l'arbre et la pratique d'un rituel les autorisant à l'abattre, passeront deux jours à en extraire la farine par un procédé complexe de filtrage. Elles obtiendront une cinquantaine de kilos de nourriture qui assureront une autonomie alimentaire de vingt jours pour une famille élargie. Comme rien ne se perd dans cet arbre magique, les palmes et le bois serviront à la couverture des toits des huttes, à la confection des jupes et la fabrication d'ustensiles de cuisine. D'autres collectes sont effectuées (fruits, insectes, racines, etc.) pour un usage alimentaire mais aussi médical, rituel, cérémoniel, artisanal (construction de pirogues, de huttes, etc.). La chasse, qui vient compléter ces activités, est réservée aux hommes qui ne la pratiqueront que sur leur territoire, la chasse et la pêche leur étant strictement interdites dans les territoires voisins. Cette activité doit être réalisée dans la discrétion, la

1. Claude Raffestin, « Les ingérences paradoxales de la pensée écologique », in *Ecologie contre nature : développement et politiques d'ingérence*, Coll. « Enjeux », PUF, Paris, 1995.
2. Florence Brunois, « Les Papous à l'âge du bois », in *Nature sauvage, nature sauvée*, revue *Ethnie*, n° 24-25, 1999.

forêt étant le repaire des esprits, qui, s'ils sont respectés, permettront une chasse fructueuse. Les expéditions sont toujours décidées à la suite d'un rêve ou d'un rituel chamanique pendant lequel les esprits donneront des indications précieuses. La mort d'un animal est considérée comme un don des esprits et le principe de réciprocité implique un contre-don en échange. Pour les Papous du grand plateau, toute ponction sur le milieu est une dette envers la nature, ainsi, si l'on veut limiter ses créances, l'on mesurera d'autant le prélèvement de manière à respecter les esprits, souvent les âmes des anciens nomadisant à l'ombre de la canopée.

En Amazonie ainsi que dans de nombreuses régions de forêts tropicales et équatoriales, les communautés autochtones font partie intégrante de l'écosystème forestier. Leur adaptation au milieu et leurs techniques de subsistance se sont depuis des millénaires développées selon un procédé de coexistence durable avec leur environnement. Alors que la forêt disparaît à grands pas dans les zones de colonisation et d'exploitation dites modernes, elle demeure dans les zones autochtones. Les activités de subsistance traditionnelles sont la principale occupation des communautés et continuent à répondre à la quasi-totalité de leurs besoins alimentaires. Ainsi l'essartage, la chasse, la pêche et la cueillette sont organisés selon un rythme bien précis : les communautés passent une partie de l'année près des périmètres de culture où elles pratiquent une agriculture vivrière et une autre partie en forêt lors de migrations collectives consacrées à la chasse et à la cueillette. Ces migrations saisonnières de quelques semaines à quelques mois sont l'occasion de fêtes rituelles tels les rites de passages et d'initiation. Ces activités sont réalisées en commun dans un processus de production et de reproduction sociale qui est à la base de la perception de la nature par ces communautés. La production de nourriture, d'abris, d'outils, d'habits à partir de ces ressources naturelles est perçue comme le fondement de la reproduction des hommes et de la société. Ici, les activités de subsistance ne sont pas séparées des activités sociale et culturelle, la sphère économique reste enchâssée dans les sphères sociale, spirituelle et environnementale qui continuent à lui imposer leurs lois.

La nature comme foyer

Aux confins du Laos et de la Thaïlande, un des derniers groupes de chasseurs-cueilleurs d'Asie du Sud-Est, les Mlabri, parcourt les collines arborées de la région de Nan, la migration étant leur mode de vie. Leur territoire se caractérise par une couverture forestière continue, la présence de reliefs escarpés, de nombreux petits cours d'eau et la biodiversité y est encore remarquable. Les Mlabri se déplacent par petits groupes en fonction des saisons et des cycles forestiers en respectant une route migratoire précise. Les ressources et la sécurité alimentaire sont les critères dominants dans les prises de décisions des espaces à parcourir, mais ces dernières sont aussi influencées par les températures (à la période des pluies, on privilégiera les chemins d'altitude afin d'éviter les moustiques), la pluviométrie (débit des rivières à traverser), le vent (forêts de bambous protectrices recherchées au moment de la mousson) et la proximité des villages (échange de produits forestiers contre du riz et du tissu, etc.). Les Mlabri sont de grands consommateurs de tubercules, de rhizomes, de champignons, de pousses de bambou, de rotin, et de palmier. Ils sont également friands de petits mammifères, d'oiseaux, de crevettes, de serpents, de petits poissons qu'ils attrapent à la lance… ou à la course. Lorsqu'ils décident de s'arrêter, les Mlabri construisent des huttes ou plutôt des abris sommaires avec quelques feuilles de palmiers ou de bananiers sauvages ajustées sur une charpente de bambou, qui serviront à se reposer, à préparer les repas, à se protéger de la pluie et à faire la fête.

Pour survivre en quasi-autarcie, ils ont hérité des techniques de leurs aïeux, transmises de génération en génération et issues d'observations empiriques et d'expériences formatrices. Le climat et les ressources ont toujours guidé leur itinéraire. Les Mlabri font partie de la forêt, ils y sont nés et veulent y mourir ; c'est leur maison, leur référence, leur éducation, leur monde. Ils n'ont pas cherché à la dompter, ils s'y sont plutôt soumis en nomades respectueux des éléments en ne laissant pas de trace de leur passage… ou si peu.

« Nous prenons la forêt comme maison, nous prenons la lune et les étoiles comme lumière, nous prenons le bois comme oreiller, et nous dormons la tête couverte de fourmis à langue, les pieds couverts de fourmis à pince, le dos et le ventre couverts de fourmis piqueuses et nous sommes si heureux[1]… »

En imposant une vision scientifique de l'écologie et de l'environnement, le Nord a délaissé les ethno-savoirs. Ce phénomène serait également en partie dû, selon James Fairhead[2], à la difficulté des Occidentaux de comprendre les pratiques et les savoirs autochtones qui s'expriment souvent au travers de concepts qui ne sont pas familiers aux scientifiques. En effet, par exemple, dans la pensée autochtone, on n'exploite pas des ressources, mais on façonne plutôt des processus naturels. Par ailleurs, les relations entre les hommes et l'environnement engagent ici nettement les relations sociales, y compris les relations avec les ancêtres et les esprits.

Les sociétés traditionnelles se caractérisent par une interdépendance entre les processus écologiques et les processus sociaux : celle-ci transcende la séparation instaurée en Occident entre nature et société. Dans la pensée socioécologique traditionnelle, les mécanismes écologiques font partie intégrante de la sphère sociale : pour exemple, le chef de village n'est pas seulement celui qui administre, il est également responsable des équilibres naturels. Les rapports avec les ancêtres et les esprits comme avec les vivants font également partie de ces relations socioécologiques.

Ainsi, chez les agriculteurs « extensifs » kouranko en Guinée, l'espace à l'extérieur du village est peuplé d'esprits, de djinns qui établissent leur demeure soit dans certains arbres, entre des rochers ou dans des mares et qui ont une

1. Cantique mlabri tiré de l'article de Laurent Chazée, « A la rencontre des Mlabri », in *Ikewan*, n° 39, janvier 2001.

2. James Fairhead, « Indigenous Technical Knowledge and Natural Ressources Management », in *Africa : a Critical Review*, 1992.

vie sociale séparée de celle des êtres humains : une distance respectueuse et parfois des sacrifices sont nécessaires pour établir une relation convenable avec eux. Quand les Kouranko défrichent pour cultiver le riz, ils laissent soigneusement intactes certaines zones où les djinns peuvent avoir élu domicile. Abattre toute la forêt reviendrait à les chasser et à mettre les familles sous la menace de leur vengeance. Les parcelles ainsi préservées servent également de réserves de semences, fournissent de l'ombre, évitent l'érosion des sols, notamment en périphérie, et permettent la régénération de la forêt galerie.

Ici, les liens étroits entre les processus sociaux et écologiques rendent les distinctions occidentales inappropriées pour comprendre les conceptions traditionnelles des relations entre les hommes et leur environnement. En niant ces interdépendances et en rejetant les savoirs de ces communautés, en « désocialisant » les questions environnementales, les classifications et les modes de raisonnement occidentaux ne peuvent rendre compte de la situation passée et actuelle des environnements autochtones.

Les communautés autochtones, se considèrent comme les usufruitières des ressources naturelles qui sont gérées en commun, et redistribuées collectivement. Leur accès ne s'effectue que dans la limite des pratiques liant les hommes et les esprits, car cet espace naturel et vital doit être valorisé tout en étant conservé. La conjonction de toutes ces pratiques est ainsi à l'origine de l'établissement d'un équilibre, d'une harmonie entre les hommes et leur environnement permettant le renouvellement de l'ensemble des sphères constitutives des sociétés et de la nature.

Mais ces communautés subissent un changement rapide de leurs conditions de vie sur des territoires en profonde transformation. Beaucoup d'entre elles ont perdu une grande partie de leurs terres, entraînant une plus grande concentration de population sur des espaces de plus en plus réduits, bouleversant les modes d'utilisation et de gestion des ressources, processus accentué par une croissance démographique. Par ailleurs, l'ouverture rapide sur l'extérieur et ses nouveaux produits engendre souvent la nécessité de produire un surplus commercialisable en augmentant les pressions sociale et environnementale. Ces évolutions ont bouleversé les relations des autochtones à leur environnement, phénomène amplifié par la non-reconnaissance de leurs droits territoriaux et de leurs modes d'existence aujourd'hui marginaux.

Des espaces autochtones menacés

Occupant des zones géographiques retirées sous la pression de vagues colonisatrices successives, les peuples autochtones sont menacés par l'avancée de nouveaux fronts pionniers et les multiples formes que prend l'exploitation des ressources naturelles de leurs territoires.

En Papouasie, chez les Yali, l'exploitation du bois et du sous-sol riche en minerai de leur terre ancestrale, commencée il y a quelques décennies sous l'impulsion des missionnaires chrétiens, des autorités et de grandes multinationales étrangères, prit la forme d'une rapide dépossession territoriale et d'un lent ethnocide. Missionnaires et agents des entreprises agirent de concert, les uns promettant un monde meilleur dans une société débarrassée de croyances passéistes, les autres agitant des perspectives financières et l'accès aux produits du monde moderne. Les conversions précédèrent la signature des contrats de concession et l'exploitation démarra rapidement... et avec elle bien des désillusions et des conséquences désastreuses pour les populations locales. De nombreuses routes furent aménagées, les coupes à blanc laissèrent des sols nus infertiles, les cours d'eau furent obstrués et pollués, la faune, effrayée dans un premier temps, fut ensuite décimée par les employés des compagnies, et de nombreux lieux sacrés furent détruits... La forêt, mémoire du passé et source d'avenir, disparut en quelques années seulement. Aucun des dédommagements prévus par les entreprises ne fut versé. Les papous contestèrent les contrats de concession devant la justice sans succès malgré une loi forestière en leur faveur mais n'ayant que peu de poids face à la corruption généralisée et au besoin de remplir les caisses de l'Etat.

Ce douloureux processus de dépossession a touché bon nombre de communautés autochtones, que ce soit en Asie du Sud-Est chez les Aeta des Philippines, en Afrique équatoriale chez les Pygmées batwa et bagyeli, et bien sûr en Amazonie comme par exemple chez les Huaorani d'Equateur.

L'appropriation et l'exploitation des terres autochtones prennent de nos jours de nouvelles formes, s'adaptant aux besoins d'un monde en mutation confronté à des défis inédits, comme le changement climatique ou la fin programmée de l'ère du pétrole.

De nouveaux fronts colonisateurs

Face à la flambée des prix du pétrole – et sa disparition annoncée – et au lobby écologique, les agrocarburants comme l'éthanol sont présentés depuis quelques années comme une alternative énergétique durable. Les Indiens guarani occupaient originellement de vastes espaces forestiers dans l'Etat du Mato Grosso au Brésil. Expulsés par les planteurs de soja, les éleveurs de bétail et les multinationales de l'éthanol, quarante-deux mille Guarani vivent aujourd'hui dans des campements surpeuplés, dans lesquels sévissent la malnutrition, la misère, l'alcoolisme et la violence. « On leur a volé leurs terres, on a détruit leurs ressources naturelles et on les a confinés dans des camps pour les intégrer de force au monde du sous-emploi[1] », expliquait en 2009 un représentant du Conseil indigène missionnaire (CIMI). Le travail hors du village a généré insécurité et violence et l'économie indigène s'est retrouvée totalement déstructurée, la production d'aliments étant gravement affectée, et la population étant tombée dans une totale dépendance vis-à-vis des aides du gouvernement.

Actuellement, face à la montée des périls climatiques et pour répondre à la demande de denrées alimentaires due à la croissance démographique et à l'apparition d'une classe moyenne dans les pays émergents, de nombreux pays à travers de tentaculaires multinationales sont à la recherche de terres arables partout dans le monde et notamment dans les territoires autochtones encore préservés. Ainsi, en Ethiopie, les expropriations imposées ces dernières années par l'Etat qui entend vendre ou louer les dernières terres fertiles de la vallée de l'Omo[2] à ces multinationales ont réduit considérablement les zones de parcours et d'agriculture itinérante des Mursi, des Hamer et des communautés voisines, les empêchant de disposer des ressources essentielles à leur survie.

Les mercenaires du carbone

De nombreux programmes destinés à réduire les émissions de CO^2 et à accroître les stocks de carbone des forêts sont actuellement proposés dans le cadre de la Convention des Nations unies sur les changements climatiques. Ils reposent pour partie sur la notion de services écologiques (services rendus par la nature comme le stockage de l'eau ou du carbone par les forêts) et plus précisément sur leur récente « commercialisation », notamment grâce aux mécanismes complexes des « droits à polluer » – permettant en quelque sorte aux entreprises de détruire un service écologique à un endroit pourvu que cette destruction soit associée à une récupération ou une protection ailleurs.

A la suite du protocole de Kyoto, un marché volontaire du carbone s'est développé entre des entreprises qui plantent des arbres dans les forêts du Sud et des entreprises du Nord

1. « Les Guarani menacés par l'éthanol », in *Ikewan*, n° 72, avril 2009.
2. Patrick Bernard, « Mursi et Hamer de la vallée de l'Omo : un monde en sursis », in *Ikewan*, n° 88, avril 2013.

qui souhaitent acheter des crédits d'émission produits par le carbone ainsi stocké. Le mécanisme REDD[1] de compensation fondé sur la commercialisation de crédits carbone fut lancé après Kyoto et il a aujourd'hui de graves effets sur les populations autochtones comme la restriction de l'utilisation de la forêt et même l'expulsion de communautés entières.
Selon le World Rainforest Movement, dans de nombreux endroits du monde, des projets et des politiques REDD sont mis en œuvre en violant le principe du consentement préalable, libre et en connaissance de cause des communautés. En Equateur, le gouvernement développe un programme REDD, alors que la Confédération des nationalités indigènes d'Equateur (CONAIE) l'a rejeté de façon explicite. Au Kenya, tandis que la forêt mau est « préparée » pour recevoir un projet REDD financé par le PNUE, les membres du peuple ogiek continuent de subir des expulsions, et les activistes ogiek sont attaqués quand ils protestent contre ces appropriations illégitimes de terres. En Indonésie, les autorités traditionnelles du district de Kappuas (province de Kalimantan) « rejettent les projets REDD parce qu'ils menacent les droits et les moyens d'existence de la communauté dayak qui habite la zone concernée », et elles réclament l'annulation d'un projet qui a « violé nos droits et menacé la base de la survie de la communauté dayak[2] ».
En Papouasie, en Colombie, au Pérou et ailleurs, les « mercenaires du carbone » se déchaînent, dupant les communautés pour qu'elles renoncent à leurs droits fonciers en signant de faux contrats. Selon un leader indigène, le REDD est peut-être « la plus grosse manœuvre d'appropriation de terres de tous les temps ».

Des parcs naturels sans les hommes

Ces politiques de conservation (ou de restauration) des ressources naturelles ne sont pas si récentes et les populations autochtones en ont souvent fait les frais par le passé. Ainsi, la création des grands parcs nationaux, qui a débuté aux Etats-Unis à la fin du XIXe siècle, reposait sur l'idée d'une opposition homme/nature et sur la volonté d'instituer des espaces sauvages primitifs et naturels, libres de toute interférence humaine, c'est-à-dire sans hommes. Le premier parc naturel au monde[3], le Yellowstone, créé en 1872, déclencha ainsi l'expulsion des natifs, les Indiens shoshone, non sans une résistance acharnée de ces derniers.
Les parcs se multiplièrent et avec eux la délocalisation forcée des peuples originaires vers de nouveaux lieux afin que ces zones protégées soient fidèles à l'image que s'en étaient faite les premiers « conservationnistes ». Les opinions publiques occidentales firent preuve de suivisme et se félicitèrent régulièrement de l'interdiction faite aux autochtones de la chasse aux derniers grands mammifères et l'on fustigea certaines pratiques comme l'essartage et l'agriculture sur brûlis à l'origine de dégâts environnementaux considérables !
Au Sénégal, la création du parc du Niokolo Koba[4] fut décidée en 1954 afin de sauvegarder la faune de ces espaces soudano-sahéliens. Le territoire retenu était occupé par une population variée : les Bassari et les Coniagui pratiquaient la chasse et la cueillette, les Mandingues l'agriculture vivrière et les Peuls le pastoralisme extensif. Ces différents types d'exploitation permettaient un usage diversifié du milieu naturel : les ressources naturelles étaient partagées, il en était notamment ainsi de la viande de chasse chez les Bassari et des terres agricoles et de parcours chez les autres communautés, ce système garantissant un équilibre durable entre les hommes et leur environnement.
La création du parc rompit cet équilibre mis en place depuis des temps immémoriaux. La chasse et la pêche furent interdites, les parcours très réglementés et les habitants des villages furent expulsés de force et se retrouvèrent dans des camps de fortune en dehors des limites du parc. Les ressources étant plus rares à l'extérieur du parc, surtout pendant la saison sèche, cela entraîna des tensions et des comportements de prédation notamment du braconnage à l'intérieur du parc. Parallèlement, une désacralisation de la nature et une perte des connaissances botaniques, faunistiques et des techniques ancestrales de culture et d'élevage se sont soldées par une dégradation importante de l'environnement.
Les Bassari rêvent à présent à leur paradis perdu où l'on vivait sans dépenser, où l'on trouvait tout le nécessaire ; les plus vieux espèrent un jour récupérer leur territoire, leur bien commun, où la vie était bien meilleure.
Les autochtones sont souvent perplexes face à la conception occidentale de la conservation et considèrent avant tout leur environnement comme leur foyer. Les procédures de relocalisation entraînent en général l'arrêt d'un ensemble d'activités quotidiennes aussi bien sociales, économiques, symboliques que culturelles. Chassées de leur terre, les communautés perdent non seulement les moyens de leur survie au sens physique du terme mais également un ensemble de pratiques, de symboles et de sites rituels au centre de leurs modes de vie et de pensée.
Ces dernières années, des alternatives à l'expulsion sont parfois proposées avec le maintien des communautés dans les aires protégées, à la condition que celles-ci perpétuent leur mode de vie traditionnel, ceci à des fins touristiques ou expérimentales.

La biopiraterie, un péril supplémentaire

D'autres alternatives voient le jour afin d'associer les peuples autochtones à divers programmes, favorisées notamment par une sensibilité écologique en développement au nord

1. « Les services écologique », *Bulletin du World Rainforest Movement*, n° 175, février 2012.
2. Lettre ouverte adressée à la communauté donatrice internationale par diverses ONG et organisations de peuples autochtones en octobre 2012.
3. Marcus Colchester, « Peuples indigènes, zones protégées et conservation de la biodiversité », *Discussion Papers*, UNRISD, 1995.
4. Ani Takforyan, « Conservation et développement local au Niokolo-Koba », in *La Nature et l'homme en Afrique*, revue *Politique africaine*, n° 53, Karthala, Paris, 1994.

comme au sud. Ainsi, avec la montée en puissance du commerce vert et éthique, certaines entreprises se mettent en relation avec des communautés afin de commercer sur des bases justes et équitables et de proposer à leur clientèle des produits « ethniques » labellisés produits par les autochtones. Si ces relations peuvent être bénéfiques pour ces derniers – productions respectueuses, accords sur les prix, constitution de caisses communes, etc. –, elles peuvent parfois créer des dépendances et des déséquilibres que les communautés ne savent pas toujours gérer au mieux. En définitive, ces alliances « vertes » profitent avant tout aux entrepreneurs du Nord... si éthiques soient-ils.
Par ailleurs, de plus en plus d'entreprises (notamment cosmétiques) et de laboratoires pharmaceutiques s'intéressent de près à la biodiversité des territoires préservés des populations autochtones mais également aux connaissances de ces dernières dans les domaines relevant de la biologie et de la pharmacopée traditionnelle. L'utilisation commerciale de cette biodiversité et de ces savoirs ancestraux s'effectue la plupart du temps de manière intrusive sans respecter les droits de propriété intellectuelle, ce qui débouche sur une forme d'appropriation illégale, la biopiraterie.
Il s'agit de faire du profit à partir de produits naturels librement disponibles (les plantes, les graines, les feuilles, etc.), en copiant les techniques des populations locales qui les utilisent au quotidien pour se nourrir ou se soigner depuis des générations. Les biopirates sont principalement des firmes pharmaceutiques, agroalimentaires ou cosmétiques : elles puisent dans ces foyers de biodiversité que demeurent les territoires autochtones préservés pour créer des produits supposés « innovants » et garantissent leur monopole sur ceux-ci *via* le système des brevets. Les produits sont souvent largement inspirés des techniques et savoirs des communautés, connus et partagés collectivement depuis parfois des millénaires.
Devant l'ampleur du pillage, des régulations internationales ont été mises en place, notamment par la Convention sur la diversité biologique (CDB) et le protocole de Nagoya.
L'article 8j de la CDB demande, en particulier, sans pour autant être contraignant, que les peuples autochtones soient des acteurs à part entière des négociations autour de l'accès aux ressources.
Ces législations constituent des avancées théoriques car elles ne sont pas encore contraignantes et ne remettent pas en cause la notion de brevet qui est au centre de la question de la biopiraterie. Le brevet, qui assure pour une période le monopole de la production et de la vente d'un produit, repose sur la nouveauté, l'inventivité et l'application commerciale. Réservé aux domaines industriel et technologique, le brevet s'est peu à peu étendu aux organismes vivants (plantes, cellules, semences, etc.). Or ce système est parfaitement inadapté pour régir l'accès aux ressources sur les territoires des peuples autochtones. Là où les connaissances sont transmises oralement, comment prouver l'antériorité des savoirs ?
« La biopiraterie est un déni du travail millénaire de millions de personnes travaillant pour le bien de l'humanité[1] », affirme Vandana Shiva, scientifique et militante écologiste indienne. Rappelons-le, un produit ou procédé breveté est considéré comme une invention. Déposer un brevet sur les connaissances sur la biodiversité des autochtones, c'est donc tout simplement renier tout un pan de leurs savoirs millénaires. La connaissance des milieux, le travail à partir des plantes pour guérir et s'alimenter, la gestion raisonnée des espaces : tous ces éléments se trouvent d'un coup effacés, l'octroi du brevet niant leur existence.
Pire encore, le brevet conduit à rendre illégale une pratique traditionnelle. Juridiquement, les peuples faisant usage d'un produit ou procédé breveté, peu importe si cet usage est ancien, sont dans l'illégalité... Les entreprises peuvent donc réclamer des royalties aux communautés qui continuent d'utiliser traditionnellement leurs ressources, dès lors que le procédé est breveté !
Les populations ont très vite compris le danger des pratiques de la plupart des entreprises présentes sur ce « créneau » sur leur environnement (pillage, monoculture, réduction de la biodiversité, etc.) et leur cohésion sociale (tensions entraînées par l'intrusion de firmes biopirates pour diviser les communautés). Aidés par des organisations comme le Collectif Biopiraterie et certains gouvernements comme au Pérou, les communautés s'organisent pour contester les brevets illégaux et peser sur les processus en cours de négociation sur les questions des droits de propriété intellectuelle liés aux savoirs traditionnels au sein des instances spécialisées comme l'OMPI, des gouvernements et de l'UE notamment avec les discussions actuelles sur l'application du protocole de Nagoya dans la législation européenne.

Créé en septembre 2008 par un collectif d'associations (France Libertés, ICRA International, Paroles de Nature) et de particuliers, le Collectif pour une alternative à la biopiraterie vise à une meilleure reconnaissance et un meilleur respect des savoirs traditionnels sur la biodiversité. Pour cela, la mission du collectif consiste à :

- Travailler en accord avec les populations autochtones, détentrices de ces savoirs, pour leur permettre d'exprimer leur position et de défendre leurs droits.
- Mettre en place des actions juridiques et médiatiques coordonnées afin de contrer les brevets illégitimes.
- Faire progresser la connaissance des enjeux entre les parties intéressées et sensibiliser le grand public.

Le collectif a pour objectif de sensibiliser le grand public et les pouvoirs publics aux enjeux liés à la question de la biopiraterie et effectue une veille des pratiques des entreprises et des avancées juridiques en la matière.

1. *La Biopiraterie : comprendre, résister, agir*, guide publié par le Collectif Biopiraterie, 2012.

Il a organisé les Premières Rencontres internationales contre la biopiraterie, en juin 2009 à l'Assemblée nationale à Paris (avec entre autres Vandana Shiva, Danielle Mitterrand, Patricia Gualinga).
A l'international, le collectif soutient le Centre africain pour la sauvegarde de la biodiversité et la Commission nationale péruvienne de lutte contre la biopiraterie. Le collectif a également participé à la conférence des parties de Nagoya en 2010 et assiste régulièrement aux sessions du Comité intergouvernemental de la propriété intellectuelle relative aux ressources génétiques, aux savoirs traditionnels et au folklore, de l'Organisation mondiale de la propriété intellectuelle (OMPI).

Site du collectif pour une alternative à la biopiraterie :
www.biopiraterie.org
collectifbiopiraterie@gmail.com

Des communautés en lutte

Les peuples autochtones ont réussi à attirer l'attention de l'opinion publique et les grandes institutions internationales ont, depuis deux décennies, voté des textes en leur faveur. La convention 169 de l'OIT adoptée en 1989 reconnaît les droits collectifs et le droit à l'autodétermination des peuples autochtones : elle demeure la seule législation vraiment contraignante pour les Etats – trop peu nombreux – l'ayant ratifiée. La conférence de Rio en 1992, la Convention sur la diversité biologique et plus proche de nous la Déclaration universelle des droits des peuples autochtones ratifiée par l'Onu en 2007 ont reconnu l'ensemble des droits des populations autochtones en particulier sur leur environnement, mais aucun des articles issus de ces réglementations n'est contraignant pour les Etats.
Toutefois, en Amérique latine, depuis une décennie, sous l'impulsion notamment de gouvernements progressistes et de leaders autochtones arrivés au pouvoir, comme Evo Moralès en Bolivie, nombre de législations nationales ont adopté des lois en faveur des droits des autochtones : reste maintenant à les faire appliquer, ce qui n'est pas chose facile. De leur côté, les autochtones ont organisé de grands rassemblements comme à Kari-Oca en 1992 et dans les forêts tenues par les insurgés zapatistes dans le milieu des années 1990 qui ont abouti à de multiples déclarations présentant leurs exigences, entre autres concernant le respect de leur environnement. De par le monde, les communautés autochtones luttent avec courage, comme les Kichwa de Sarayaku en Equateur aux prises depuis des décennies avec plusieurs compagnies pétrolières qui viennent d'obtenir une victoire fin 2012 avec la reconnaissance de leur combat par la Cour interaméricaine des droits de l'homme, qui, il faut l'espérer, fera jurisprudence.
…e à un développement basé sur l'exploitation intensive …ressources, à des économies fondées sur la croissance …production et de la consommation, à un modèle de vie …ontre aujourd'hui ses limites, les peuples autochtones, …leur rapport particulier à la nature, leurs principes d'existence privilégiant une interrelation harmonieuse entre les sphères sociale, culturelle, spirituelle et environnementale peuvent nous aider à retrouver un chemin sociétal viable respectueux de la nature et des équilibres. L'Occident ne reviendra pas en arrière et il est peu probable que l'environnement soit de nouveau considéré sur le même plan que les autres dimensions dans l'organisation des pays « développés » mais il faut espérer que la prise en compte des enseignements et des pratiques autochtones dans nos réflexions futures et le respect des modes de vie des communautés autochtones se renforcent afin d'assurer un futur aux sociétés humaines et à la Pacha Mama.

HERVÉ VALENTIN

coordinateur et chargé de mission d'ICRA International

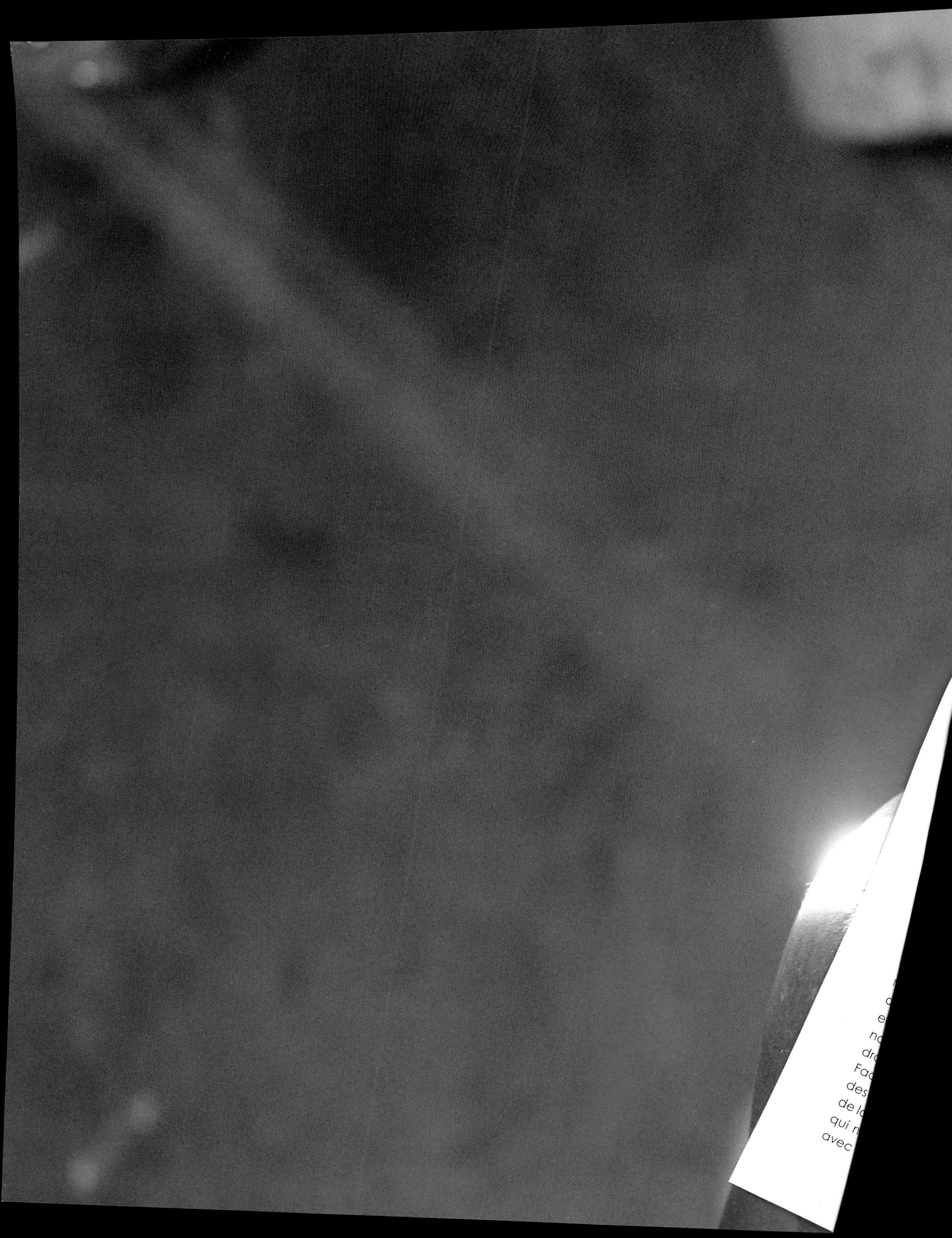

L'octroi du château de Verrière

La fondation Anako dispose désormais d'un écrin précieux, digne de ces peuples qui n'ont ni châteaux, ni églises, ni monuments, ni même écrits pour témoigner de leur histoire. L'octroi du château de Verrière est une petite forteresse médiévale à taille humaine, dont l'existence est mentionnée dès 1115. Situé aux confins de la Vienne et de la Touraine, tout près du Val de Loire dont les innombrables châteaux en font un haut lieu visité par des millions de touristes venus du monde entier, il abritera le centre de documentation de la fondation Anako, doté d'une bibliothèque, d'une vidéothèque et de salles de projection. Ouvert de mai à octobre, il proposera chaque année des expositions de photos et d'objets.

Fondation Anako
Expositions et médiathèque
1, château de Verrière
86120 BOURNAND

Une vitrine sur la toile
www.fondation-anako.org
Courriel : planete.anako@free.fr

Les sites associés :
www.anako.com
www.icrainternational.org
blog.anako.com

Fondation Anako
C/O ICRA International
236, avenue Victor-Hugo
94120 FONTENAY-SOUS-BOIS

ICRA ET LA FONDATION ANAKO

aux côtés des peuples menacés

Les dernières sociétés de tradition orale, nomades ou sédentaires, constituent la marge essentielle, subtile, parallèle, sans laquelle le grand tissu du monde s'effilocherait irrémédiablement. Elles sont comme le miroir brisé de vieux rêves oubliés. Elles conservent en elles le souvenir perdu de valeurs dont notre monde garde sans le savoir la nostalgie et dont, peut-être, la réminiscence distille le mal de vivre de nos sociétés. En ce siècle sourd à la musique des rêves, l'humanisme peut-il encore sauver une parcelle d'univers ?

Fondée en 1988, ICRA International veut éviter la course aux médias comme la grand-messe du charité business en essayant de promouvoir l'idée d'un humanisme actif au delà de l'action humanitaire telle que nous la connaissons dans ses objectifs trop souvent calqués sur la conception occidentale de la notion de développement.

Au cours des années 1970, les Indiens des Amériques se sont imposés en précurseurs des grands mouvements indigènes qui se sont ensuite développés dans le monde entier. Plusieurs organisations autochtones se sont créées un peu partout à travers le monde. Quelques trop rares associations de solidarité internationale les soutiennent à l'image d'ICRA international et de ses trois départements, Info-Action pour les campagnes urgentes, le FMCA, Fonds mondial pour la sauvegarde des cultures autochtones, et Akassa pour la mise en place de programmes solidaires de terrain.

Si Icra international marche sur la tête, elle sait aussi garder les pieds sur terre, la Terre de ceux dont elle défend le droit fondamental à l'existence et à la différence. Peuples premiers, peuples racines, ethnies minoritaires, ces peuples crépusculaires laissent à la surface du monde une poussière d'étoiles dont on ne retient bien souvent que l'éclat finissant. C'est l'arc-en-ciel de nos différences et de nos diversités culturelles et spirituelles qu'ICRA international et que la fondation Anako cherchent à retenir, pour élever la mémoire de l'humanité tout entière, à la mémoire de ces peuples, vivant contraire (mais pour combien de temps encore ?) d'un monde en voie de globalisation et de son évolution qui se révèlent de plus en plus inadaptés aux conditions de survie de la planète de la famille humaine dans toutes ses diversités.

En vingt-cinq ans, ICRA International et la fondation Anako sont passés, tout en évitant de tomber dans les pièges du « star système », du rêve d'un passionné à l'investissement et à la mobilisation de centaines de membres actifs. Outre les campagnes de pression et de sensibilisation mises en place par les nombreux correspondants autochtones d'ICRA International, ses groupes locaux et nationaux, ses pétitions, ses actions de terrain, ICRA informe à travers son magazine *Ikewan* et ses communiqués *via* le réseau internet. Ses deux départements, Akassa et le FMCA (Fonds mondial pour la sauvegarde des cultures autochtones) accompagnent aujourd'hui plusieurs programmes de terrain sur des fronts variés comme l'autosuffisance alimentaire, le soutien sanitaire, les dispensaires nomades, l'enseignement des langues originelles, la collecte et la retranscription des traditions orales, la formation aux techniques audiovisuelles. Tous ces programmes se concrétisent au jour le jour auprès des réfugiés karen et karenni de Birmanie, dans les hauts plateaux du Viêtnam, chez les Naga de la frontière indo-birmane, les pygmées bagyeli du Cameroun, les Peuls au Niger, les Touareg au Mali, les Mursi en Ethiopie ou les Yawalapiti du Haut-Xingu en Amazonie.

ICRA International est également à l'origine de plusieurs collectifs d'associations comme le Collectif Biopiraterie mis en place avec la fondation France Libertés et l'association Sherpa. Un collectif qui œuvre depuis plusieurs années avec détermination et déjà quelques beaux succès sur le front complexe de la biopiraterie qui touche de plein fouet les ethnies minoritaires et les peuples autochtones les plus fragilisés.

ICRA international et la fondation Anako défendent toutes les deux une idée simple : le droit à l'identité des peuples indigènes rejoint le droit des hommes et des femmes de cette planète à être différent, c'est-à-dire de vivre libres sur la terre de leurs ancêtres, de perpétuer leurs enseignements, de préserver et de transmettre leurs héritages culturels et spirituels.

ICRA International
236, avenue Victor-Hugo
94120 FONTENAY-SOUS-BOIS
www.icrainternational.org
info@icrainternational.org

La fondation Anako PB

La sauvegarde des mémoires et des patrimoines culturels des peuples les plus menacés de la famille humaine

Anako était dans les années 1970, lorsque je l'ai rencontré, l'un des douze derniers survivants d'un grand peuple d'Amazonie aujourd'hui éteint. Lui qui ne voulait pas accepter de se convertir a été abandonné par les siens, en forêt, à l'écart de son village tombé sous la coupe d'une secte évangélique américaine. Anako symbolise à lui seul toute l'importance qu'il y a à nous mettre à l'écoute des peuples, de leurs sagesses, de leurs diversités culturelles et de leurs différences si nécessaires aux équilibres de la famille humaine.

Dernières touches de couleurs rebelles à l'uniformisation de l'humanité sur le modèle occidental, les peuples racines nous quittent les uns après les autres. Avec eux, c'est tout un univers de sagesses ancestrales, de spiritualités, de connaissances et de traditions orales qui disparait ou se transforme à jamais.
La fondation Anako s'inscrit aujourd'hui dans la continuité de l'action initiée par l'association ICRA International et par le Fonds mondial pour la sauvegarde des cultures autochtones.
Aider les peuples les plus menacés à se réapproprier leur image, à écrire leur mémoire, à préserver, leurs littératures orales, leurs connaissances, les témoignages de leurs cultures et de leurs traditions ancestrales, ce sont là les objectifs majeurs de la fondation Anako.

« Celui qui ignore d'où il vient, ignore aussi où il va, et peut-être même où il se trouve aujourd'hui. »

Pourquoi la fondation Anako PB ?

Le plus souvent nomades, agriculteurs itinérants, chasseurs-cueilleurs, peu attachés aux possessions matérielles, la plupart des peuples premiers et des sociétés traditionnelles ne construisent ni ne bâtissent pas plus qu'ils ne produisent au-delà de leurs besoins vitaux.

Leur patrimoine est essentiellement immatériel : connaissance de la nature, rituels et mythes fondateurs, symbolismes, langues, danses, chants, contes, cosmogonie, littérature et témoignages oraux. Mais le patrimoine matériel est aussi présent : les savoir-faire, la parure, l'art et l'artisanat, les traditions et tant d'autres richesses culturelles et spirituelles.

Les derniers peuples racines de l'humanité n'ont-ils rien à transmettre à leurs enfants, n'ont-ils rien à nous transmettre ? Bien sûr, il existe déjà des musées qui nous donnent à voir les formes d'art et d'artisanat où ces peuples ont excellé. Ainsi le musée des Arts Premiers à Paris, est-il un superbe condensé des savoir-faire de ces peuples racines, peuples premiers ou ethnies minoritaires, que l'on a, trop longtemps, qualifiés de barbares, primitifs ou sauvages mais ces musées restent trop souvent figés et ne s'engagent généralement pas aux côtés des peuples dont ils présentent les riches patrimoines culturels.
C'est là que la fondation Anako entend jouer son rôle en se dotant des moyens financiers et humains pour mettre sur pied ses programmes de terrain. Il s'agit d'impliquer le plus possible les communautés autochtones dans la constitution de leur mémoire audiovisuelle mais aussi dans la sauvegarde et la transmission de cette mémoire. La fondation Anako a l'ambition, parmi d'autres, de former et d'équiper en moyens audiovisuels modernes des équipes natives afin qu'elles se réapproprient LEUR histoire, LEUR mémoire, LEUR présent, LEUR avenir perpétués par les nouvelles générations.
Les documents réalisés seront conservés à la fois par les communautés autochtones et par la fondation qui permettra au public de les découvrir à travers son fonds audiovisuel, sa médiathèque, sa bibliothèque, ses expositions permanentes mais aussi des événements, des projections, des conférences débats proposées aux collectivités locales qui souhaiteront mettre en avant cette question essentielle des peuples menacés.

Le plus souvent nomades, agriculteurs itinérants, chasseurs-cueilleurs, peu attachés aux possessions matérielles, la plupart des peuples premiers et des sociétés traditionnelles ne construisent ni ne bâtissent pas plus qu'ils ne produisent au-delà de leurs besoins vitaux.
Leur patrimoine est essentiellement immatériel : connaissance de la nature, rituels et mythes fondateurs, symbolismes, langues, danses, chants, contes, cosmogonie, littérature et témoignages oraux. Mais le patrimoine matériel est aussi présent : les savoir-faire, la parure, l'art et l'artisanat, les traditions et tant d'autres richesses culturelles et spirituelles.

La Fondation Anako se veut solidaire des peuples sans voix, ignorés, oubliés, violentés. Elle entend contribuer au Renouveau indigène qui revendique la reconnaissance de leur existence, de leurs droits, et de leur apport originel et original à toute l'humanité.

Ses objectifs

La fondation a pour objectif, en constante concertation avec les peuples les plus menacés, de soutenir les initiatives de solidarité internationale engagées pour les soutenir. Elle contribuera à la sauvegarde et à la préservation de leurs richesses culturelles et spirituelles à travers le soutien à la réalisation et à la production par les communautés autochtones elles-mêmes de films, d'enregistrements visuels et sonores et plus généralement de tous matériels audiovisuels.

Ce fonds audiovisuel, qu'il conviendra d'entretenir et de préserver, constituera pour les générations à venir une mémoire vivante. Il sera complété par des expositions, des conférences, des films documentaires.

Formées aux techniques audiovisuelles et dotées du matériel nécessaire afin de se réapproprier leur image et surtout, de constituer par elles-mêmes cette mémoire audiovisuelle inaliénable, les jeunes générations pourront ainsi renouer leur lien avec les traditions et les connaissances ancestrales. Elles pourront retrouver la fierté de leur appartenance à une ethnie, une culture, une tradition.

Outre son travail de formation de ces équipes autochtones et de mise en place des programmes de terrain, la fondation, quant elle, recense, numérise et met à la disposition des peuples premiers et du public le fonds d'images et de sons consacrés aux peuples, cultures et modes de pensée autochtones en voie d'extinction ou de profonde mutation qui lui sont confiés par des collecteurs autochtones, des grands voyageurs, des ethnologues et des documentaristes. Elle encourage, soutient et finance, chaque fois que faire se peut, des programmes de terrain solidaires initiés et concrétisés par les communautés autochtones elles-mêmes ou par des associations de solidarité internationales ou locales. Elle met tout particulièrement l'accent sur les initiatives locales pour la sauvegarde des langues et des cultures, l'éducation dans le respect de la culture locale, la formation, la communication, l'information et la constitution d'une mémoire pour les générations futures.

Qui fait quoi ?

La fondation est constituée de membres fondateurs, de membres contributeurs, de membres partenaires et de membres bienfaiteurs.

Les membres contributeurs apportent à la fondation, en dépôt, prêt ou donation, tout ou partie de leurs écrits, films, documents ethnographiques ou de société portant sur des peuples, des ethnies, des cultures menacés. Ils peuvent aussi, en léguant ou en prêtant à la fondation des objets ou des photographies, participer aux expositions permanentes ou invitées qui seront proposées sur le site de la fondation.

Les membres partenaires et les membres bienfaiteurs sont des personnes privées ou morales, institutions, entreprises, mécènes, associations ou fondations qui se reconnaissent dans les objectifs de la fondation Anako et qui les soutiennent par leurs contributions financières, des échanges, ou des partenariats.

Si vous vous sentez vous-même interpellé et concerné par la mission de la fondation Anako, si vous souhaitez devenir membre contributeur, partenaire ou bienfaiteur, si vous souhaitez nous confier du matériel audiovisuel, des films, des photographies, des livres, ou des objets ethniques qui pourraient trouver leur place dans nos expositions permanentes, si vous pouvez nous aider à travers un peu de votre temps ou un soutien financier, n'hésitez pas à nous contacter. La fondation Anako, ses expositions, sa médiathèque, son centre de documentation mais aussi ses programmes de terrain seront à la hauteur de ce que nous pourrons lui apporter et de l'énergie que nous déploierons pour concrétiser cette mission si essentielle pour les générations qui vont nous succéder.

TABLE DES MATIERES

REMERCIEMENTS

Alain Saint-Hilaire†, Marc Bruwier†, Betty et Jacques Villeminot, Jean-Pierre et Hervé Valentin, Françoise Demeure, Noël Villas Boas, Y Pen Bing, Anne-Sophie Tiberghien, Tahnee Juguin, Anouk Marsetti, Gisèle Beetz, Lionel Ducos, Yves Coppens, Margo Stanislas Birnberg, Freddy Boller, Patrick Kersalé, Simon Quoc Uy Ly, Michel Huteau, Erwin Patzelt, André Cognat, Visier Sanyu, Oyta Turmi, Aritana, Pirakuma, Collor et Jaïr Yawalapiti, Doljit Pangging, Nyamto Wangsho, William Sandy, Hien Lam Duc, Pan Xing Xong, Xiaomin Feng, Anh Tuan Sabourdy, Santosh Poudel, Cyrille Ly, William Pac, Rodolfo Choque, Hugo Gutierrez, Batpurev Tsedendorj, Ridwan Djaffar Ahmad, Pierre Batigne, Philippe Molins, Nina Amselem, Jean-Luc Marchand, Loïc Labbé, François Isler, Serge Guiraud, Dech Thumthong, Jean-Marie Géhin, Ronald Obodo, Kevin Lee, les bénévoles d'ICRA International et de la fondation Anako.
Merci également à toutes les personnes qui ne sont pas citées ici et qui nous ont ouvert leurs portes, leurs cœurs, leur amitié au cours de nos chemins de traverse et de transhumance à la rencontre des derniers peuples sages.

CREDITS PHOTOS

Ken Ung : p. 1 à 280 à l'exception des photos des pages suivantes.
Patrick Bernard : p. 15, 17 (haut), 30, 173, 181, 248, 249, 276, 277
Jean-Pierre Valentin : p. 92 à 105
Hervé Valentin: p. 33 (haut), 207, 208, 209
Betty Villeminot : p. 256, 257, 259 (bas)
Jacques Villeminot : p. 263
Famille Villas Boas : p. 22 et 23 (archives)
Yamana, Collor et Jaïr Yawalapiti : p. 44 et 45 (extraits de films), 48
Jacques Barratier : p. 22 (bas)
Santosh Poudel : p. 11
Anh Tuan Sabourdy : p. 172
Freddy Boller : p. 242, 243
Pierre Batigne : p. 14, 17 (bas), 178, 179, 180, 271
Michel Huteau : p. 170, 177, 238
Simon Quoc Uy Ly : p. 176, 240
Hien Lam Duc : p. 18 (bas), 28, 29, 174, 175
Ridwan Djaffar Ahmad : p. 16 (haut), 250, 252, 254, 255
Kevin Lee : p. 253
Dech Thumthong : p. 16 (bas), 244, 245, 264, 267, 268
Erwin Patzelt : p. 25 (bas)
Xavier Delwarte : p. 18 et 19 (fond de page)